LE TÂR DE MON PÈRE

Du même auteur

La nuit des calligraphes, Fayard, 2004.

Yasmine Ghata

Le târ de mon père

roman

Fayard

© Librairie Arthème Fayard, 2007.
ISBN : 978-2-213-63250-6.

À ma mère.

Première partie

Moi, Nur, fils de Barbe blanche

Barbe blanche, mon père, ne s'était jamais séparé de son instrument avant que la mort ne l'emporte. Un târ* qui gardait l'âme de ses ancêtres. Un instrument à long manche qui telle une boussole avait indiqué à mon père la direction de l'au-delà. Les paupières de Barbe blanche s'étaient fermées ce jour-là comme deux barques attirées par l'écume brillante du large. Il s'était éteint en jouant quelques notes. Le frottement des cordes captura les dernières pulsations de son cœur ; le médiator, tombé dans la caisse de

---

* Instrument d'origine indo-persane à la sonorité métallique appartenant à la famille des luths. Sa caisse de résonance à double renflement est en bois de mûrier, et la forme de sa table évoque deux cœurs réunis par leurs pointes. Son long manche est pourvu de 25 ligatures en boyau.

résonance, émit un tintement sournois qui nous défiait de le récupérer. Hossein, mon frère, tenta vainement de réanimer le vieil homme, j'en fis autant avec le târ que je secouais comme si sa vie y était enfermée. La résignation de notre mère nous fit accepter l'inadmissible. Elle étendit la dépouille sur le divan et baisa le front du défunt. L'index de mon père était encore fléchi. J'ai fermé sa paume après y avoir glissé le médiator qui avait resurgi à la lumière.

C'est Hossein qui procéda à la toilette mortuaire, ma mère me jugeait trop jeune. Il coupa ses vêtements le long des coutures, effectua trois lavements successifs, enduisit le corps de henné, d'huile camphrée et de parfum de myrte. Blanc était le linceul du père, nuée laiteuse sous le jour finissant. Hossein jeta l'eau souillée à l'écart de toute habitation. Mon père fut enterré dans un enclos à proximité du lac d'Orumiyeh*. Barbe blanche avait franchi le seuil de la mort, laissant derrière lui la porte de l'au-delà provisoirement entrouverte, le temps qu'elle se referme d'elle-même, en quelques jours.

---

* Ville située dans le nord-ouest de l'Iran.

J'avais dix-neuf ans, une barbe naissante et la maigreur de l'auteur de mes jours. Ma mère avait pendu le târ au chambranle de la porte, elle le dépoussiérait chaque semaine avec le même regard de pénitence. Mon frère Hossein rôdait, convaincu que l'âme de Barbe blanche y était parfaitement conservée. Du vivant de notre père, Hossein décrochait souvent l'instrument malgré les interdictions de notre mère. Tenant d'une main le manche, il improvisait avec les doigts de la deuxième de véritables morceaux aux rythmes changeants pareils au galop d'un cheval qui troquait bientôt son allure pour la marche lente d'un chameau. Notes pareilles aux vrombisse-ments d'un bourdon. Il prolongeait la note selon son intuition. Il ne se doutait pas que notre mère pleurait à chaque vibration. Forough, elle, avait compris qu'Hossein avait posé ses doigts sur l'échelle symbolique de ses ancêtres pour ne plus jamais la lâcher. Sa vie durant, il en gravirait les échelons, en agripperait vigoureusement les montants.

Cet instrument ne m'a jamais été destiné, les yeux de mon père ne s'adressaient qu'à Hossein, ses pupilles le fixaient avec ténacité. Moi, Nur, je n'ai pas su attirer son regard. C'est à mon frère qu'il racontait ses périples, ses improvisations et ses trouvailles après avoir sillonné le pays avec sa troupe. Ses taqsîm* exploraient de nouveaux territoires. Seul l'appel à la prière de la mosquée Azam interrompait son monologue, il rangeait alors papiers, ébauches et portées musicales. Son tapis de prière le recueillait un temps, espace réduit logeant tout entier son corps bancal et accroupi. Confondant sa silhouette et son instrument, il m'arrivait de croire que le manche en noyer était une paire d'os mal assemblés. Le târ de mon père n'était qu'un cadavre. N'était-ce d'ailleurs pas ainsi que le vieux Lamech avait inventé le 'ûd, reproduisant dans une pièce de bois le corps décomposé de son fils ? Une caisse de résonance pareille à sa poitrine, le manche figurant sa jambe, le chevillier, son pied, et des cordes à l'image de ses veines. La fable du vieil homme parait mes rêves de détails macabres.

---

* Divisions musicales.

Une odeur de putréfaction imprégnait le târ. La longue barbe de mon père avait également inspiré de nombreuses légendes. Il disait que ce crin blanc taillé en deux pointes effilochées abritait un oiseau rare à tête humaine. Nos yeux d'enfants y cherchaient en vain un battement d'ailes, mais la barbe du vieillard restait obstinément hiératique. Hossein n'avait jamais cru à de telles histoires mais se sentait irrésistiblement attiré par l'instrument. Ma mère aimait raconter que les premiers cris de Hossein avaient été accompagnés de notes métalliques ; d'après elle, notre père accroupi dans la pièce voisine cherchait ainsi à étouffer ses cris de douleur. Hossein crut longtemps que la voix de son père provenait du târ. Il était écrit que mon frère serait musicien comme son père, et moi, un auditeur réduit au silence. Mais nous ignorions encore que le târ allait nous conduire au-delà des frontières de notre ville, fief de Barbe blanche depuis plus d'un demi-siècle.

« Un bon joueur de târ subtilise au vent son souffle », c'est ainsi que Mir Ahmad commença l'apprentissage de Hossein. Ce vieux musicien sans progéniture et fidèle compagnon de Barbe blanche fut comblé de découvrir les talents de mon frère. Hossein lui rappelait la silhouette de son ami à ses débuts, son corps sec et ses yeux avides de découverte. Tous deux avaient été élèves du grand Aqâ Hossein Qoli, du temps où Barbe blanche s'appelait Arslan. Mir Ahmad vouait une admiration sans bornes à notre père, ce « prince à cordes », qui se distinguait également au zurkhâne, lutte traditionnelle. Mir Ahmad semait notre deuil de souvenirs d'une autre vie. Les mains de Mir Ahmad décrivaient le corps athlétique de notre père adolescent, lequel jonglait alors avec des masses en bois. Mouvements liés et déliés d'un corps sec tout entier soumis à la discipline. À entendre parler Mir Ahmad, il me semblait ne jamais avoir connu mon père, sa barbe avait fini par dissimuler sa jeunesse.

Mir Ahmad nous conta aussi l'histoire de ce grand maître de târ, Aqâ Hossein Qoli, qui jouait les yeux fermés, ses doigts se déplaçant sur les ligatures avec l'allure du vent. Quand sa main recouvrait les cordes pour les immobiliser, ses élèves savaient qu'il avait atteint le plus haut degré de son art, ce qu'il qualifiait avec ses mots savants de « croissance de l'âme ». Ses élèves suivaient ce voyage des sons. Cinq élèves à l'image des cinq cordes tendues. Le grand maître dressait ses disciples comme on accorde un instrument, un strict parallélisme, une même tension.

« Des cinq élèves, votre père et le jeune Mohsen étaient les plus talentueux. Votre père jouait comme un lion, ses doigts partaient à l'assaut de notes redoublées, attaques mordantes et roulements inquiétants, tandis que le jeune Mohsen élargissait les notes qui se fendaient et bourgeonnaient en tiges souples et ondoyantes. Aqâ Hossein Qoli savait mieux que quiconque favoriser l'éclosion de leurs personnalités respectives. Jamais il n'avait vu pareil contraste entre deux élèves. »

Mir Ahmad balaya sa mémoire d'un geste de la main et dessina sur une feuille les cinq lignes d'une portée musicale. Il y inscrivit cinq notes, certaines entre deux intervalles et d'autres sur la ligne. Il saupoudra la feuille fraîchement manuscrite d'une grosse pincée de safran, ses doigts dispersaient la poudre brune par frottement. Ses notes nues se vêtirent d'ornements, il les para d'atours et de parfum, une odeur amère d'encre et d'épice. Il prit son instrument et joua. J'entendais ma mère balayer l'entrée de notre maison et la main de Hossein caressait la page à la même cadence. Ma mère nous observait en coin par l'embrasure de la fenêtre, ses yeux scrutaient le târ pendu au chambranle de la porte.

Le târ de mon père renfermait ses péchés. Sa caisse de résonance ne nous livrait rien de son secret. Hossein trouvait que les cordes ne vibraient plus de la même manière depuis sa mort, l'air fouettait les parois intérieures, trou béant balayé de vents contraires. Plusieurs fois, il avait tenté de serrer les chevilles, mais les cordes semblaient se désolidariser lentement de leur support. Vibrations sèches d'un instrument en deuil. Hossein se plaignait de sifflements dans l'oreille, un sillon sourd et sans relief qui faisait grimacer son beau visage. Ma mère réprimandait l'objet suspendu au chambranle. Nul doute que le tympan de mon frère subissait le châtiment de cet instrument de malheur. Les superstitions ravivaient le mal. Hossein s'agrippait à mon épaule pour marcher, ses pas évitaient des monticules imaginaires qu'il tentait de gravir sans trébucher. Pour lui, nous avons appris à économiser les bruits, ma mère anticipait le moindre désagrément sonore et cherchait des ruses pour guérir mon frère. Approchant de son oreille un débris de miroir, elle tentait de piéger le parasite, de capter l'ennemi invisible. Épuisé par ce sifflement, Hossein décrochait le târ et jouait des morceaux inspirés de notre père. La pulpe de ses doigts était creusée de rainures, ma mère les massait avec rage, voulant gommer toute trace de souffrance par ces vaines ablutions. Moi, je n'approchais jamais l'instrument et évitais de le fixer trop longtemps. Son orbite vide et exiguë semblait pourtant me dévisager. Hossein observait mes détours et lisait dans mes fuites une peur ancrée depuis l'enfance.

« N'aie pas peur. Les sifflements dans mes oreilles sont l'écho des suppliques paternelles. Je dois le délivrer de sa vie d'ici-bas. Ce târ n'admet pas la disparition de notre père, il veut rejoindre la permanence de son esprit. L'odeur de Barbe blanche imprègne encore son bois, son pouls bat dans ses nervures arides, son sang se propage dans ses cordes. Nur, aide-moi à ôter ses cordes qui assaillent mes oreilles. » En me réclamant de l'aide, Hossein me rendait complice d'un acte hérétique.

C'est la douleur de mon frère qui m'a fait commettre l'irréparable. Sous nos yeux coupables, le târ gisait. Du vivant de Barbe blanche, il jouissait de tous les privilèges, de toutes les attentions. Notre père en prenait soin comme d'un être à part entière. Objet composite qui ne souffrait pas des injures du temps et qui, de surcroît, ne manifestait aucun signe de rébellion. Hossein, battu jusqu'au sang par mon père, se réfugiait à l'arrière de la maison sous un auvent et soignait ses plaies en silence. Il refusait que je l'approche, accroupi au pied du mur voisin. Dos au mur, nous parlions sans nous voir, imaginions des vengeances impossibles. Je détestais mon père, sa rage contenue, ses cris qui faisaient frémir sa longue barbe. La violence de notre foyer et son vacarme avaient conféré à ses cordes une résonance plus acérée et plus emportée. L'instrument de Barbe blanche était à son image.

Hossein espérait mon intervention, manquant de force pour agir seul. J'ai attendu que notre mère s'éloigne sur le chemin en terre crue de notre maison. Réglées aux chevilles, les cordes se détachèrent du chevalet, la planchette en bois ne soulevant plus que le vide. Les cordes s'enroulèrent sur elles-mêmes, délassement de cinq corps au repos après des années de raideur et de contraction. Nous les avons posées sur un plat en terre cuite. L'instrument gisait dans les bras de mon frère, sa cavité creuse telle une tombe profanée. Ce jour-là, il nous sembla avoir perdu notre père une deuxième fois. Il ne nous restait qu'à brûler les cordes pour ne plus sentir son âme rôder. J'ai allumé le feu, elles dessinaient des pirouettes sous l'effet de la flamme, boucles agonisantes et calcinées devenues poussière.

« Pourquoi avoir détruit ses cordes ? nous demanda Mir Ahmad, s'adressant à Hossein. Cet instrument se refusait à jouer entre tes mains car les cordes n'ont pas reconnu leur propriétaire. Les târs sentent l'hérédité de leurs maîtres. Si ces cordes ne vibraient pas entre tes mains, tu dois comprendre les raisons de leur insoumission. »

Assis en tailleur, Mir Ahmad cherchait en vain le regard de Hossein. Mon frère, tête basse, avait enfreint une coutume ancestrale. Et je l'avais aidé à accomplir ce geste sacrilège. Notre mère ne nous avait pas blâmés, elle jugeait l'instrument bien diminué depuis que les cordes ne voilaient plus l'orifice. Elle avait enterré le plat en terre cuite rempli de cendres, comme on inhume un être humain, une poignée de terre avait englouti le dépôt de poussière. Agenouillée, elle avait imploré le ciel de lui venir en aide. Elle n'y trouva nulle manifestation divine. Les migrations des nuages dessinaient pénombres et éclaircies sur son visage, continuant leurs déplacements avec impassibilité. Je suis allé la chercher, ses chaussures éventrées foulaient la terre. Ma mère a pendu le târ de notre père sur le chambranle, même dépouillé de ses cordes, il regagna son emplacement d'origine. Mon frère baisa l'instrument et posa sa main sur la caisse de résonance comme pour se repentir. Hossein n'avait plus ce vacarme dans l'oreille. Le sifflement avait disparu au moment où nous avions allumé le feu sur les cordes, bruit sec de verrouillage dans ses oreilles et le silence. Nous sommes allés nous allonger chacun sur notre couche, Hossein recroquevillé sur son flanc, une main blottie entre ses jambes, s'endormit le premier. La lune éclairait l'embrasure de la fenêtre, une ombre arpentait l'allée, silhouette furtive pressée de trouver l'échappée. Mes oreilles captaient tous les bruits de la vieille demeure, craquements des murs, rafales de vent sur le palier, et les chuchotements de ma mère qui se parlait à elle-même dans la chambre voisine. Sonorités métalliques venues de nulle part résonnant à l'étage inférieur, accords insistants d'un morceau joué en boucle par notre père au coucher du soleil, quatre notes accompagnant le départ de l'astre, chahâr-mezrâb* devenues avec le temps le signal du sommeil. Deux premières frappes sur les cordes blanches, notes aiguës, une sur les cordes jaunes, note grave, et la dernière utilisant toutes les cordes. Ma mère se leva, j'arpentais déjà le couloir, les mains plaquées au mur. Le târ pendu au chambranle sans aucune corde produisait les notes pures du morceau fétiche de Barbe blanche. Le bois résonnait, les sons étaient amortis par le mur. Nous sommes restés là sans rien dire, écoutant cette musique de nulle part. Le târ vibrait sous des mains invisibles. J'ai retrouvé les notes intimistes de mon père, divisions étendues, pauses qui lui étaient propres et qui l'avaient fait connaître dans tout le pays. Sa manière de passer de strophe en strophe en montant graduellement était immédiatement reconnaissable. Hossein nous avait rejoints. Le vent claquait sur les vitres, deux rafales emportèrent cet air persistant.

« Cette musique t'était destinée, Hossein. » Mon frère regagna sa couche en silence.

---

* Quatre frappes.

Ma mère sortit l'écrin vide de sous sa couche. Nous y avons placé l'instrument. Une boîte aux parois molletonnées enfermait désormais le târ recouvert d'une étoffe. J'entendis un souffle, une lourde inspiration suivie de râles sourds. Ma mère verrouilla les deux poignées de la boîte. Elle nous indiqua l'emplacement d'un atelier situé non loin du sanctuaire d'Ardabil. Un luthier y vivait depuis plus de quarante ans et savait mieux que quiconque remplacer les cordes obsolètes. Hossein devait porter l'instrument et moi, les affaires nécessaires au voyage. Notre mère baisa nos fronts et nous ordonna de partir. Elle n'avait pas besoin de parler, elle savait utiliser le langage des yeux, ils nous disaient adieu. J'ai ramassé son regard sans ciller. J'ai entendu ses sanglots et l'impact de ses poings sur le chambranle. Elle détestait ce pilier de bois qui lui avait tout pris. J'avais dix-neuf ans, mes pas désorientés suivaient ceux de mon frère qui me guidaient. Il me pressait. Nous n'avions jamais franchi les frontières de la ville. La rive orientale du lac était la limite du monde. Au-delà, selon notre père, les instruments à cordes ne vibraient pas de la même manière. Dès qu'il sortait du périmètre de sa ville natale, ses cordes devenaient moins généreuses. Il trouvait le ciel aussi sombre que le cœur des hommes et déplorait l'état de son instrument après ses longs périples. Le târ nous parut plus lourd au sortir de la cité. Relié au dos de mon frère par un savant assemblage de ficelles, il était ballotté par ses longues enjambées. La tête du long manche dépassait en direction de l'est. Nous avons contourné le lac, le reflet de mon frère sur l'eau s'éclipsait comme une ombre. À notre passage, la surface stagnante se plissait. Des heures de marche, l'intonation creuse du bois rythmant notre longue progression secrète. Les nuages se déployaient tels les degrés d'un escalier, nous humions l'air des premiers jours du monde. Hossein cheminait sans relâche, le manche de l'instrument désignant toujours la direction du nuage qui nous guiderait jusqu'à Ardabil. Ce même nuage qui escortait le relief du paysage. Le vent l'épargnait, la migration inerte de ce nuage flou me faisait penser à la barbe laiteuse de mon père et à cet oiseau fantastique qu'il disait loger dans son crin. Les yeux pendus au ciel, je vis un aigle transpercer ce nuage, le rapace nous dévisagea de son œil droit, profil menaçant. Hossein ne vit rien, il scrutait le sol accidenté. Battements d'ailes dans la vallée, j'avais hérité de Barbe blanche cette qualité d'écoute du monde. La forêt engloutissait nos pas, une terre noire et humide qui gardait nos empreintes. Le târ tapait à intervalles réguliers sur la nuque de mon frère, sa caisse, réceptacle sans cordes, s'engorgeait des bruits alentour. C'est alors que des notes mirent fin à notre marche. Des notes métalliques, un air traditionnel. Des notes qui faisaient tourbillonner le feuillage des arbres comme pour nous indiquer leur provenance. Hossein écoutait la mélodie les yeux fermés, convaincu que le musicien n'était qu'à quelques mètres. Cependant, plus nous avancions, plus les notes nous paraissaient lointaines, comme si leur auteur reculait d'un pas à chaque pincement de corde. Nous traquions l'invisible. Nulle trace de cet homme ou de son instrument. Mon frère regarda vers l'est et m'invita à le suivre. J'ai cherché longtemps autour de moi, convaincu que nous allions trouver cet inconnu, mais il s'était volatilisé. Les arbres, témoins de cette apparition, nous virent regagner le sentier que des pierres jalonnaient, chaîne discontinue qui escortait nos pas comme pour nous remettre dans le droit chemin. Nous avons dormi dans un caravansérail à mi-parcours entre Orumiyeh et Ardabil, un bâti carré autour d'une vaste cour qui sentait le pisé. Hossein utilisa d'anciennes bûches pour nous réchauffer. Allongés à terre, nous contemplions les flammes étincelantes. Ce soir-là, nous étions trois, mon frère, moi et le târ de mon père, trois pouls humains assis en rond autour du feu. Ranimé par la chaleur des flammes, l'instrument régurgitait la fumée comme le faisait Barbe blanche avec sa pipe, les volutes sculptées de son manche pareilles à ses yeux vitreux. Le sommeil nous emporta bien vite, le feu s'étiola rapidement. Il me sembla entendre un souffle suivi de quelques pas. C'est le lever du soleil qui me réveilla, nous n'étions plus que deux. Hossein fouilla tous les coins de la pièce, les piliers de la cour carrée ne dissimulaient rien d'autre que des amas de détritus laissés par les voyageurs. Nous avions perdu le târ, cet instrument hérité de nos ancêtres qui n'avait jamais connu d'autre propriétaire. Hossein n'en croyait pas ses yeux. La veille encore, l'étui gisait à son côté. Qui avait pu pénétrer dans la pièce et s'emparer de l'objet sans nous réveiller ? Je me suis rappelé ces bruissements étranges, ces pas qui comprimaient le sol et ce souffle qui avait balayé les flammes, une présence qui n'avait guère perturbé mon sommeil. Hossein continuait d'arpenter la pièce de long en large, s'agrippant aux niches creusées dans le mur. Il choisit un coin reculé de la pièce à l'ombre d'une voûte pour pleurer. Convaincu qu'il s'agissait d'un châtiment, sa tête blottie à l'intérieur de lui-même comme pour expier ses fautes, Hossein invoquait notre père, l'implorait de lui pardonner d'avoir brûlé les cordes de son târ. Ses joues sales et humides avaient la même couleur que la pierre, j'ai essuyé son visage. La cour carrée ouverte à tous les vents nous renvoyait des rafales de poussière, des particules scintillantes qui stationnaient dans l'air avant de se coucher sur le sol. Je me suis rappelé le jour où Hossein, à peine âgé de dix ans, avait dissimulé le târ dans une excavation du lac, repaire de fortune à l'abri de l'eau salée qui renfermait caillasse et pierres diverses. Nous l'avions décroché de son chambranle au lever du soleil et l'avions caché dans l'abri sous une épaisse couverture. Séparer notre père de son instrument répondait à une croyance profonde, le târ avait, selon nous, modifié sa personnalité. Séquestrer l'instrument et rompre à jamais ce lien néfaste nous le rendrait intact. Nous étions prêts à subir ses foudres, son châtiment, mais nous méconnaissions la puissance de ce lien. Les hurlements de Barbe blanche avaient ce matin-là atteint le ciel, la maison tout entière vibrait sous sa colère. Sans le savoir, nous l'avions amputé d'un membre, d'une partie de lui-même. Chose étrange, il trouva immédiatement la piste de notre cachette, son intuition pour seul guide, sa peau lui indiquant le lieu où demeurait son double, cet organe en bois qui reproduisait les pulsations de son cœur. Arrivé au bord du lac, il me traîna par l'oreille et me poussa à l'intérieur de l'embrasure de pierre, seul un enfant pouvait y pénétrer. Les mains avides de Barbe blanche ne cherchaient que l'instrument, palpaient le vide pour s'en emparer. Il ne chercha pas à m'extraire de cette cavité rocheuse, il saisit le manche du târ que je lui tendais et contourna le bord du lac pour regagner la terre ferme. J'étais encore dans le trou, il me semblait être prisonnier d'une cellule qui se refermait sur moi-même, la roche coupante lacérait mes bras et mes chevilles. C'est Hossein qui me tendit la main, son visage me hissa hors de l'ombre. Ce jour-là, j'eus l'impression de sortir du târ de mon père, du trou béant de sa caisse de résonance, son manche tourné vers le jour n'était que le bras de mon frère tendu vers moi. Le târ regagna le pilier de bois de notre demeure, mon père le surveillait nuit et jour sans relâche. Moi, j'étais couvert de plaies, des blessures rectilignes et profondes telles des notes dissonantes jouées sur ma peau d'enfant.

Nous étions en train de regagner le sentier qui nous conduirait à Orumiyeh, Hossein marchait lentement, le dos pourtant allégé d'un poids. Plus de tintement d'instrument, plus de manche dont l'élan vertical se confondait avec le tronc des arbres. Le târ nous avait quittés, des bras inconnus l'avaient emporté loin de nous. Mais que faire d'un târ sans cordes ? Hossein ne comprenait pas. J'avais la certitude que l'auteur du vol nous avait suivi depuis le début, épiant nos faits et gestes, avançant à notre allure. Qui était-il ? Que nous voulait-il ?

« C'est le târ qui l'intéressait, nous n'étions que des messagers. »

Hossein marchait bredouille, appauvri de son seul héritage, celui qui profite à l'aîné. Mon père ne m'avait rien laissé à moi, à l'exception de notre ressemblance physique, je devinais ses mains dans les miennes. Des doigts osseux et des phalanges noueuses irrigués par des veines sombres, deux veines qui voyageaient sous sa peau tachée. J'avais hérité de ses mains, mon frère, de son instrument. Barbe blanche était un vieil arbre, ses membres, deux branches sans articulations, sa barbe, du feuillage tombant à l'aplomb de son écorce. Nous avions perdu notre père, et sa seule trace visible, son târ. La résignation de mon frère disparut peu à peu, la route nous conduisant à Orumiyeh nous semblait barrée d'obstacles, les arbres nous fermaient la route, sabraient nos pas. Mais Hossein interpréta ce barrage naturel comme un signe. Nous devions prendre la route pierreuse d'Ardabil située au pied de la montagne. Mon frère avait retrouvé cette détermination qui le caractérisait. Plus question de rentrer, il voulait rechercher ce voleur de târ et l'instrument qui lui était promis depuis sa naissance.

Moi, Parvis, fils de Mohsen

J'ai couru très vite sans regarder derrière moi. La forêt tout entière dissimulait ma course. J'étais haletant, mais j'accélérais sans cesse, chaque foulée réduisant la longueur du corridor qui me conduirait à mon village. La montagne m'indiquait la bonne direction, son allure me rappelait mon père aveugle, grand joueur de târ d'Ardabil. Ses yeux étaient deux plans d'eau stagnante qu'il fermait pour ne pas m'effrayer. Je tenais serré l'instrument que j'avais dérobé aux deux hommes endormis dans le caravansérail désaffecté. La poussière de leur feu avait taché mon habit, souillé l'ourlet de mon manteau de laine.

J'ai aperçu au loin le sanctuaire d'Ardabil, la ville d'où je viens. Cité fondue avec un paysage pierreux, hauts murs sans fenêtres formant une inclinaison rocheuse. Le dôme du sanctuaire émoussait les nuages comme un pic enneigé. C'est là qu'est enterré mon ancêtre, le grand patriarche soufi Cheikh Safi od-Din, sous une coupole au nom d'Allah dont chaque brique répète à l'unisson le nom de Dieu. Les parois poreuses expulsent chaque jour un peu plus de poussière, comme les cendres contenues dans les nombreux sarcophages du mausolée. Mon père aimait l'air de cet endroit et y jouait des journées entières. Il se déchaussait, marchait à tâtons, le manche de son instrument lui servant de canne.

Quand mon père jouait, on aurait dit que des hurlements sortaient de son târ. Il est mort trop jeune, contrairement aux musiciens de la région. À en croire ma mère, jouer du târ est censé prolonger l'existence : l'instrument étant un organe comme les autres, et son invariable battement de notes chassant toute maladie dangereuse. Rien n'est resté de son talent mais les alvéoles de lumière ont encore en mémoire ces morceaux dévotionnels que mon père jouait jusqu'à sentir les rayons de lune dans son dos. Mon père était aveugle, pourtant les aspérités du manche et ses cordes métalliques n'avaient pour lui aucun mystère. N'est-ce pas ainsi qu'il fit ma connaissance ? Quand je fus sorti du ventre de ma mère, il caressa ma tête, posa ses deux mains sur mes épaules et contourna chacun de mes doigts. J'avais la même taille que son instrument, aussi s'amusait-il à dire que j'étais le seul târ doté de deux manches, mes petites jambes dépourvues de ligatures. Moi, Parvis, fils du grand Mohsen, le musicien aveugle, j'ai vu mon père mourir d'un coup à la tête qui l'emporta vite. Le sang fuyait comme des notes pressées de retentir. Ses yeux toujours fermés s'entrouvrirent sur le monde une dernière fois. Avant de trépasser, il dit :

« Dieu m'est apparu dans une nuée difforme aux couleurs indéfinies. Il est clair comme l'eau et flamboyant comme la flamme. Quand il disparaît, une lueur décroissante me ramène à l'obscurité. À cet instant, je crois entendre mes cordes crépiter, mes notes frémir d'étincelles pareilles à un feu qui s'étiole. »

J'ai gardé le târ de mon père, c'est un peu de lui qui repose dans cet instrument. Sa caisse de résonance voilée de cinq cordes pareille à sa cécité. Il m'arrive de jouer quelques notes éphémères. Mon père était en mesure de les capturer avec agilité. Moi, elles fuient entre mes doigts.

J'ai caché le târ dérobé sous le plancher de ma maison. J'avais envie de cracher dessus, mais l'ensevelir avait suffi à satisfaire mon besoin de vengeance. J'enterrais à ma manière ce grand musicien, Barbe blanche, connu à travers tout le pays, disciple d'Aqâ Hossein Qoli. Mon père n'aimait pas les dates, elles lui rappelaient son incapacité à juger le temps qui passe. Il se rappelait pourtant une chose avec exactitude, sa première rencontre avec Barbe blanche, du temps où tous les élèves du grand maître commençaient leur apprentissage. D'emblée, les deux hommes rivalisèrent par leur talent. Les yeux fermés de mon père suivaient un itinéraire invisible, lui seul connaissait le voyage des notes qui se coloraient au contact de l'atmosphère. Sa voix grave alternait le récité et le chanté, ses mimiques renforçaient l'action des épopées poétiques. Mon père savait déclencher joie et tristesse à la fois, et concluait ses morceaux de trois coups portés au thorax, trois notes sourdes qui lui rappelaient que les hommes étaient avant tout les instruments de Dieu. Lui et son instrument ne faisaient qu'un, et il utilisait cette complicité pour réprimander les enfants moqueurs. Quand l'un d'eux l'empoignait, il visait son ennemi par le manche et chargeait. C'est ainsi qu'il se fit respecter, le tintement sourd de son instrument cognant ses chevilles osseuses. Mon père me racontait l'impact des notes de Barbe blanche, des éclairs dans l'obscurité qui éclairaient ses nuits d'une lumière fracassante. Les deux hommes s'étaient côtoyés longtemps. Mon père sentait sans cesse son regard se poser sur lui, traquant ses doigts sur les ligatures, épiant les allées et venues de son plectre sur les cordes. Des élèves du grand maître, mon père était le seul à entendre Dieu, omniprésent dans le monde sonore. Il était le seul à atteindre cette écoute interne des choses. L'art de Barbe blanche manquait de sincérité et avait recours à des moyens artificiels pour atteindre l'extase. Ses transes étaient provoquées par des simulacres. Barbe blanche enviait à mon père ses visions, cette musique insonore, l'ascension de son âme délivrée de la boue terrestre. Aqâ Hossein Qoli n'y pouvait rien, son initiation avait des limites. Ne répétait-il pas que « la musique ne provoque pas dans le cœur ce qui ne s'y trouve pas » ? Barbe blanche refusait de s'y résoudre, ce qui l'a conduit à commettre l'irréparable. Les chevilles aux volutes sculptées de son târ gardent encore en mémoire le coup porté à la tête de mon père. Le manche brandi dans un acte de démence avait pénétré l'air, giflant l'atmosphère humide de cette nuit sans lune. Mon père s'était échoué à terre, le crâne déversant une mélodie particulière, des cris d'agonie mêlés à l'écoulement continu qui avait la même couleur que le ciel. La fuite de Barbe blanche fut à l'image de sa musique : heurtée et confuse, sans but et sans unité. Taches de sang et coulures s'étaient répandues sur le bois de son instrument, notamment sur deux cordes qui ne vibrèrent plus jamais de la même manière.

Moi, Hossein, fils de Barbe blanche

Je le retrouverai, je traverserai montagnes et forêts pour retrouver l'instrument de mon défunt père. C'est une partie de moi-même dérobée par un étranger. Maudites ces mains qui ont souillé le târ de mon père. Je nettoierai son bois, remplacerai une à une les cordes que j'ai brûlées et ne m'en séparerai plus jamais. Mon petit frère me suit, cherchant empreintes et marques de pas. Rien n'échappe à ses yeux alertes. Le voleur a couru très vite, son souffle saccadé a imprégné les feuilles des arbres et la terre molle. Une inspiration intermittente qui traduit encore son impatience. Ardabil n'est plus vraiment loin, une demi-journée de marche suffira à me conduire à destination. C'est la seule ville des environs, le coupable n'a pas pu se cacher ailleurs. Barbe blanche avait supprimé cette ville de la carte, Ardabil lui répugnait. C'était à ses yeux une « ville-sarcophage » qui collectionnait les morts. Ces hauts murs sans fenêtres et ce dôme qui émergeait dans le ciel le dégoûtaient. La ville aux allures de forteresse lui rappelait ce joueur de târ aveugle qui capturait formes et couleurs par le biais de son instrument. La cité tout entière avait une odeur de poussière. Il ne reste rien du grand Cheikh Safi od-Din, mort il y a six cents ans, ni de ses notables, à l'exception des monticules de cendres. Barbe blanche était entré une seule fois dans le sanctuaire, il disait que ses cordes refusaient d'y vibrer, qu'un froid glacial les avait saisies d'effroi. Un seul joueur de târ y parvenait, Mohsen, descendant direct du grand Cheikh qui, même aveugle, réchauffait l'air mordant sous la coupole en jouant des notes pareilles à des sabres empêchant l'intrusion du démon. Le târ de Mohsen reflétait pénombres, éclaircies et autres acrobaties de lumière qui modifiaient l'aspect de son bois. Mon père nous racontait que ses notes étaient les seules à pouvoir tirer le mausolée de son long sommeil. Il nous racontait aussi qu'à présent que Mohsen était mort il ne remettrait plus les pieds dans cette ville. Je marchais, avec le sentiment que mes pas trahissaient la mémoire de Barbe blanche. Mais qu'importe, une force m'attirait vers l'est, plateau en altitude au pied du mont Sabalan nimbé de brume. Les deux versants, contreforts taillés par les vents, avaient la forme de deux silhouettes émergeantes, deux hommes épiant les allées et venues. J'avais imaginé qu'ils étaient deux joueurs de târ soudés l'un à l'autre, taillé dans le même roc et partageant le même instrument. Nous avons marché longtemps, la montagne semblait reculer à mesure que nous avancions. Une ville vide nous attendait. Pas âme qui vive dans les ruelles. Mon esprit était attiré en direction du sanctuaire. Les ponts en enfilade enjambaient une rivière poissonneuse, mais aucun pêcheur à l'horizon. Le bazar couvert coupé par la grande rue nous laissait entrevoir ses échoppes fermées. Nul doute que le târ de mon père était caché dans cette cité déserte. L'air nous chassait, nous repoussait. Nos pas étaient happés par cette chaussée incurvée qui libérait à contresens de notre marche un ruissellement d'eau, clapotis dans le silence. Nous avons vu nombre de visages voilés derrière les fenêtres, et de profils âgés nous dévisageant d'un œil. Des chuchotements derrière les volets dissipaient mon jeune frère. Un cortège de voix basses et de grincements qui accéléraient notre marche. Au pied du sanctuaire, un jeune homme nous attendait, sa robe en laine était recouverte de terre mouillée. Une longue distance nous séparait. Une ligne séparatrice d'ombre et de lumière le scindait en deux. Mon jeune frère prit ma main et me mit en garde, nous étions deux étrangers sans défense. J'avais réduit la cadence, l'altitude nous essoufflait, pourtant nous n'avons montré aucun signe de fatigue. Barbe blanche nous avait appris à garder la tête haute, à ne jamais fixer l'ennemi dans les yeux, car les nôtres alimenteraient sa force. Il nous avait même recommandé d'adopter le comportement des caracals, sorte de lynx des forêts qui veut dire en turc « oreilles noires ». Mon père ne scrutait que son instrument. Il avait le regard avare, même sur nous, ses propres enfants, trois clignements de paupières et nous étions déjà devenus deux adolescents.

L'homme épiait notre marche, une jambe fléchie sur le côté en signe d'attente. Nous étions encerclés par une foule d'êtres invisibles, dissimulés derrières les porches, les ruelles, ombres noires glissant sous les auvents et se terrant dans des dédales voûtés. L'homme qui nous attendait les voyait s'accommoder de l'espace, déplaçait ses pupilles de gauche à droite et de droite à gauche pour ne rien perdre de leur quadrillage. Et pourtant pas un bruit, chacun avait son poste, la respiration aussi muette que les pierres. Arrivés à une dizaine de mètres de l'homme, nous nous sommes agenouillés, regards à terre. Il s'est approché de nous, nous a priés de nous relever en citant nos prénoms et un bref raccourci de notre généalogie. Il savait tout de nous, nous ne savions rien de lui, sinon qu'il avait un ongle long comme ceux que se laissent pousser les joueurs de târ à la fin de leur apprentissage.

Nous fûmes traînés dans le sanctuaire par les revers de nos manteaux. Les mollets nus de mon frère frottaient le sol. Une dizaine d'hommes du village prêtaient main-forte à celui qui leur avait donné l'ordre de nous y conduire, Parvis les commandait avec une autorité naturelle malgré son jeune âge. Mon frère avait perdu connaissance, on le gifla puis on lui versa de l'eau sur les lèvres. La coupole du sanctuaire nous aveuglait. Debout à l'ombre d'un pilier, Parvis nous sermonnait. Son front se plissait aux émissions de sa voix rauque. Il nous parlait de son père, ce grand joueur de târ aveugle, trouvé inerte et froid un matin d'hiver au centre du sanctuaire. Son sang gelé sur la pierre avait été retiré comme de la glace, par plaques successives.

« Il n'a pas pu se défendre, son meurtrier rôdait autour de lui comme un fantôme. Une chose est sûre, mon père jouait de son instrument, couvrant les pas de l'assassin. Il avait senti l'intrus s'approcher, ses yeux fixant le sol à défaut de le voir. Personne n'a répondu, seule une note retentit, accidentelle. Les pierres du sanctuaire ont conservé cette note, courte et sans résonance. Mon père reconnut l'intrus à son odeur. Votre père avait une forte odeur de transpiration, son instrument était imprégné de son haleine acide et piquante. Mon père, lui, ne sentait pas. Ses propres effluves l'auraient empêché d'identifier les autres, alors il se nettoyait sans cesse. Son odorat avait remplacé ses yeux. Ma mère avait pour lui une odeur de miel, et moi, de lait. Votre père avait une odeur animale reconnaissable parmi toutes, et son instrument en a hérité. Il faudra des siècles pour purifier ce târ, astiquer la sueur de votre père et le sang du mien. Nous avons attendu votre venue. Tous les musiciens viennent changer leurs cordes usées chez notre luthier. On dit souvent que lorsqu'un joueur de târ s'éteint, ses cordes périssent avec lui. Vous n'êtes pas les bienvenus. Les notes de mon père assuraient la prospérité de la ville et attiraient les bienfaits d'Allah. Aucun séisme n'a touché Ardabil, aucune famine, aucune maladie, tant que mon père jouait. Le jour de sa mort, la montagne ne nous a plus protégés des vents, des pilleurs et de la pauvreté. Les pierres du sanctuaire de mon ancêtre sont devenues friables, la coupole s'érode et le sol tremble sous nos pas. Maudits soient votre père, sa jalousie et sa colère. Vos cœurs sont souillés du même sang, le sang d'un meurtrier. La cité entière attendait ce moment pour venger la mémoire de notre père, chacun de ses habitants voudrait tuer la progéniture de son assassin. Vous serez enfermés entre quatre murs sans fenêtre sans savoir si la nuit a balayé le jour. C'est ainsi que mon père vivait. Seule la résonance de ses notes lui indiquait l'espace alentour. »

Parvis, fils de Mohsen, s'éclipsa, silhouette au dos aussi menaçant que son long discours. Nous avons été enfermés dans une pièce aux murs épais, sans un souffle d'air. Nur se recroquevilla dans un coin, maudissant notre père, moi j'étais prostré, muet. Les joues creuses de Nur se dessinaient dans l'ombre, ses yeux semblaient s'enfoncer dans deux cavités noires. La terre brune avait recouvert un à un nos membres, terre acide qui épongea notre sueur. Nous avons déployé nos longs manteaux sur le sol. Sans avoir à échanger une parole, nos pensées confuses emplissaient la pièce. Il était écrit que les deux fils de Barbe blanche viendraient dans cette vieille cité expier le crime de leur père. Nur insultait notre père, sa tête cognant le mur comme pour soulager sa tourmente.

« Que ce vieux loup aille en enfer. »

Contrairement à Nur, je subissais sans rien dire cet isolement absurde et calmais les ardeurs de mon frère. Quelque chose me disait que cette épreuve me libérait d'un poids.

Des voix nous parvenaient, un brouhaha confus qui accompagna notre sommeil dans les profondeurs de la nuit. Se réveiller dans le noir revient à mourir, pourtant je m'y suis accommodé. La pénombre anéantit les sens à l'exception de l'ouïe. Mes oreilles ont appris à entendre ce que je ne pouvais voir. Il me semblait même deviner le nombre d'individus dissimulés derrière notre porte. J'ai apprivoisé l'obscurité comme si j'y étais destiné.

Nous étions là, à attendre de maigres quantités de nourriture. Mon jeune frère se jetait sur la porte au moindre bruit, au moindre pas. Ils ont finalement libéré Nur au quatrième jour. Sa corpulence et son jeune âge en faisaient un travailleur idéal. Il remplirait les moules de briques en terre crue disposés à perte de vue. Nur était surveillé de près et ramené dans la cellule à la première étoile. Son absence me laissait tapi dans le noir avec mes souvenirs. J'avais oublié la voix de mon père, cette voix si pénible à entendre. Chaque syllabe prononcée heurtait le silence comme les aboiements d'un chien. Je me souvenais des craquements de ses os quand il s'agenouillait sur son tapis de prière, son corps tout entier orienté vers La Mecque, le sanctuaire du prophète que j'avais longtemps cru adossé à notre demeure. Mais il n'y avait là qu'un terrain vague parsemé d'objets divers, la pelle de notre voisin, les quelques cultures de notre mère et une vieille voiture abandonnée. Point de pèlerinage, ni de pèlerin, une terre misérable que ma mère foulait à longueur de journée pour étendre son linge. À six ans, perché sur les épaules de mon père, j'ai finalement découvert cet endroit situé à des milliers de kilomètres de chez nous. Nous avions traversé plaines et montagnes pour accomplir ce commandement qu'il appelait l'un des cinq piliers de l'islam. Nous croisions les itinéraires de transhumance, campements nomades et troupeaux de moutons qui semblaient venir de nulle part. Marche silencieuse à travers des horizons vides. Des patriarches de tribus nous ouvraient leurs tentes et nous racontaient la découverte du point d'eau qui les avait décidés à s'installer là dix ans plus tôt. Il jouait en échange de l'hospitalité, les yeux fermés, tout entier éclairé par le feu. Une fois, je lui avais demandé pourquoi il jouait toujours les yeux fermés. Il m'avait répondu qu'il jouait comme un aveugle pour se faire pardonner. Pardonner de quoi ? Je n'ai jamais su. Ses mains nettoyaient les chevilles du manche, frottements acharnés à l'aide de sa salive qu'il crachait avec rage. Je n'ai jamais vu de sang sur son instrument, les volutes sculptées du manche avaient une teinte plus foncée, celle d'un mûrier taillé par des mains expertes. Enfermé dans cette pièce aveugle depuis plusieurs jours, je me rappelai que mon père le lavait chaque jour suivant le même rituel, gestes identiques qui lui faisaient oublier ce crime hérétique. « Mizmâr-al-shaytan* », c'est ainsi qu'il appelait son târ depuis qu'il avait tué Mohsen, musicien inspiré de Dieu.

---

* Instrument à anche de Satan.

Plusieurs jours à décliner toutes les nuances de cette obscurité devenue mienne. Mon frère me revenait au coucher du soleil, exténué par son travail. Il disait les habitants d'Ardabil fort silencieux. Il travaillait sans relâche, remplissait les moules d'une terre brune qui érodait ses mains. Il avait souvent croisé le regard de Parvis, fils de Mohsen, qui comptait le nombre de briques confectionnées dans la journée. On lui donnait à manger et à boire à l'ombre du sanctuaire, non loin d'un platane. Nur me rapportait de la nourriture, des restes de viandes et de pain pilés qu'il me forçait à avaler. Plus rien n'avait de goût, mes yeux déversaient un liquide incolore qui m'aveuglait comme une brume au sommet d'une montagne. Pas de visite, à l'exception de ce jeune homme muet qui distribuait l'eau et les linges propres, puis balayait le sol, soulevant une poussière qui asséchait mes narines. Le vantail entrouvert me renvoyait l'air des hauteurs, emportait cette odeur stagnante pareille à celle d'un marécage. Mes membres comme scellés au sol, je humais le souffle qui balayait la pièce, le bruit des tailleurs de pierre, les effluves de cuisine et l'odeur de bois brûlé me réveillaient, mais le verrouillage de la porte mettait un terme à ce voyage.

Au dixième jour, le fils de Mohsen s'introduisit dans la pièce pendant mon sommeil, il déambula autour de moi et posa non loin de mes tempes le târ de mon père réaccordé par le luthier de la cité. Les empreintes de ses pas avaient dessiné des circonvolutions autour de mon corps gisant. Le târ reposait au sol, couché sur le dos, son manche dirigé vers moi. Ce même instrument qui à la mort de mon père refusait de vibrer entre mes doigts, de se caler sous mon aisselle. Les variations virtuoses et modulations élaborées autrefois par mon père refusaient de s'exécuter, glissandos régurgités par des cordes récalcitrantes et vibrations autrefois ondulantes devenues plates entre mes mains. J'avais brûlé ses cordes sous l'effet de la colère mais il en avait de nouvelles aujourd'hui. Le roucoulement des pigeons qui piétinaient le toit emplit la caisse de résonance de l'instrument, sons caverneux issus des profondeurs, lamentations et gémissements d'une cellule en bois aux parois denses qui me faisaient penser à la pièce dans laquelle j'étais enfermé. La même obscurité, la même odeur de cloisonnement. Mes yeux se voilaient de larmes. Le târ de mon père adossé au mur assistait impuissant à mes souffrances. Je me disais que ses nouvelles cordes allaient peut-être tout changer, le purifier, lui faire oublier ce drame. Mais rien, elles se dérobaient sous mes doigts, engourdies et paralysées. Aucune note ne vit le jour. J'insistais, passais d'une ligature à l'autre, pinçais, redoublais, mais toujours en vain. Le târ qui me revenait de droit ne voulait pas de moi, je m'étais résigné. Je l'ai posé près de l'entrée, dos apparent pour ne pas voir sa face. Il vacilla, cherchant son équilibre, puis s'immobilisa. J'ai cogné sur la porte pour que quelqu'un m'entende et me débarrasse de cet instrument. Appels et hurlements dans l'embrasure, j'ajustais ma bouche dans un segment de lumière pour me faire entendre. Mes yeux respiraient cette faible quantité de jour que je n'arrivais plus à reconnaître. Sous un porche voisin, il me semblait entendre la respiration ralentie d'un homme. Il devait porter un lourd turban, draperies contournées par le vent. Mes yeux ne voyaient plus rien et pourtant je sentais les pulsations de cet homme. Immobile, je percevais son odeur, son haleine, et le craquement de ses membres contraints par la raideur. Parvis se tenait là, à moins d'un mètre de moi. Il m'avait rapporté l'instrument de mon père et attendait dissimulé, il n'entendit que des accords ratés, des soubresauts de cordes molles. Mes notes ressemblaient à des briquettes d'argile jetées à terre. À force de taper sur la porte et d'implorer à genoux, j'ai perdu connaissance et me suis effondré, entraînant dans ma chute le târ de mon père. Parvis ouvrit et ramassa l'instrument. Mes yeux vitreux et humides lui rappelèrent soudain ceux de son père, il repartit aussitôt sans me porter secours. J'entendis des prières murmurées à voix basse et des serments faits à Dieu. Ce jour-là, une vieille femme est venue me soigner, elle débarrassa mes paupières de dépôts incolores. Elle me nettoya et changea mes vêtements. La porte entrouverte laissait s'engouffrer des tourbillons de poussière qui formaient un halo sur nos têtes. La vieille femme ne vit rien, j'étais le seul à percevoir cette nuée. Mon jeune frère me prit la main, je sentis ses doigts rugueux desséchés par la terre crue. Il espérait que mon état de santé plaide en notre faveur. Bientôt deux semaines de détention, et certains habitants trouvaient notre captivité injuste.

Nur posait des linges humides sur mes yeux et me parlait des habitants du village. Le fils de Mohsen leur disait que l'avenir du village dépendait de notre emprisonnement. Chaque soir, à la tombée de la nuit, il les réunissait en les assurant que ce châtiment leur serait salutaire. Pour tous, Mohsen avait laissé l'image d'un prophète. Le vieux Kaveh se souvenait encore de ce séisme qui avait englouti la ville, et emporté nombre de familles. Le vieil homme avait rappelé de sa voix profonde comment Mohsen effectua son premier miracle. Il jouait de son târ dans les rues dévastées pour apaiser la colère de Dieu. Les fissures se refermaient à son passage, les crevasses s'obturaient au son de ses notes. Mohsen marcha deux jours, des places principales aux impasses reculées. Les façades, au contact de son ombre, se raccommodaient avec fracas. Glissant sous les auvents, Mohsen réanima une dizaine de cadavres en deux jours, jeunes enfants ainsi que nombre de nouveau-nés qui semblaient perdus. Il se réfugia ensuite dans le sanctuaire, rapiéçant, au gré de ses mélodies, la sépulture de ses ancêtres. Le village a encore en mémoire sa silhouette de patriarche que la foule suivait d'un pas lent, comme ensorcelée. Mohsen fut adoré, baisé aux mains et aux pieds. Certains prélevaient des morceaux d'étoffe de son manteau en laine pour les conserver comme des reliques. Oui, Mohsen fit des miracles. Musicien guérisseur, on disait que ses notes avaient le pouvoir d'atteindre les oreilles de Dieu, et d'attirer ses bienfaits. Les morceaux joués par l'aveugle venaient à bout des maladies incurables, préve-naient les morts subites de nourrissons, sans parler de la fille du luthier qu'il ressuscita en pinçant les cordes, arrachant les sons comme on arrache à la mort ce qu'elle a pris. Nur me raconta l'histoire de cette jeune fille tombée dans un ravin de dix mètres, gisant au sol comme une poupée désar-ticulée. Ses os avaient transpercé sa chair. Ses cheveux noirs recouvraient son visage, sa bouche, visible entre deux masses de boucles était remplie d'une terre pierreuse. On ramassa son corps, son père dissimula son anatomie et la nettoya. Sa mère en lamentation l'implorait de se réveiller, ses paumes tournées vers le ciel. On appela Mohsen, les adolescents du village criaient son nom dans les ruelles pour qu'il ressuscite la fille du luthier. Tous en rond autour de la dépouille, les habitants virent les mains de Mohsen se recroqueviller sur son instrument. Les yeux clos, il fit vibrer ses cordes férocement, puis les immobilisa du plat de la paume. Le même geste fut amplifié, arraché au silence, le même rythme ascensionnel. Au bout de quelques minutes de ce recueillement absolu, la fille du luthier cracha la terre contenue dans sa bouche. Mohsen continua ses mouvements sans freiner la frénésie de ses doigts. Les os de la jeune fille s'alignèrent, retournèrent dans la chair, bruits secs d'articulations. Quand elle ouvrit les yeux, elle vit ceux de Mohsen mi-clos. Ce dernier retourna dans le sanctuaire de son ancêtre, au pied du même pilier, se fossiliser dans la pierre. Son instrument gisait toujours à ses côtés, recevant les rayons de lumière filtrés par la coupole. On aurait dit qu'il s'en nourrissait. Mohsen parlait à ses ancêtres, les sarcophages s'enveloppaient de sa voix, leur bois tendre buvait ses paroles. Malgré sa cécité, il suivait du regard l'itinéraire invisible de ses notes, les arabesques soulevées par les mouvements de ses cordes. C'était tout le mausolée qui lui rendait hommage. Les briques et les pierres

ont retenu longtemps les échos de ses prophé-
ties musicales. Elles ont aussi gardé en mémoire
la violence du coup porté à sa tête, et ses cris
d'agonie. Le meurtrier avait répandu le sang de sa
victime sur les dalles, près de son târ abandonné
incapable de lui porter secours. Avant que la mort
ne l'emporte, il le prit dans ses bras et le serra si
fort qu'on ne put les séparer. Mohsen posa sa joue
sur le sol glacé, conscient qu'il allait mourir, et
chuchota quelques mots. Il n'eut pas le temps de
finir, un vertige l'emporta, avec cette sensation
que le vaste dôme allait faire ce voyage dans l'au-
delà avec lui. Son manteau en laine fut son unique
linceul. Un mot résonne encore dans les niches du
sanctuaire, un seul mot répété avec obstination :
« Mon fils, mon fils, mon fils de lumière. » Barbe
blanche s'était enfui, traversant la forêt comme un
loup regagnant son repaire.

Je me suis réveillé aveugle. Ni contours ni formes, je ne percevais plus que des ombres parmi les ombres, des noirceurs difformes et des lumières mort-nées. Pour les villageois, c'était un signe. Seul Parvis, fils de Mohsen, refusait d'y voir un avertissement de Dieu. Les habitants m'ont libéré de ma cellule en prononçant des formules pieuses. Mon frère qui m'épaulait m'indiquait le chemin. Les femmes embrassaient mes pieds, me recouvraient des plus belles étoffes et effleuraient mes yeux scellés. Foule grouillante en délire qui freinait mes pas et baisait mes mains. Mon frère les écartait tant bien que mal. Je ne voyais rien, mais je discernais les surfaces immobiles, sans mouvement, la montagne qui ombrageait la foule et une silhouette au regard puissant qui me maudissait. Nul doute qu'il s'agissait de Parvis. Le vent contournait son lourd turban, préférant souffler sur la foule en liesse. Je me suis laissé porter jusqu'au sanctuaire. Des cris, des hurlements, des mains levées au ciel en signe de remerciement. Ils allaient comme moi vers le sanctuaire du grand soufi, Cheikh Safi od-Din, patriarche safavide qui reposait dans un sarcophage en bois. Incantations récitées comme des trombes d'eau et actes de foi déclamés telles des rafales de pluie qui inondaient mes oreilles. On m'installa à terre aux côtés de mon frère qui me tenait la main. Autour de moi, des déambulations qui me donnèrent le vertige et enfin le silence. Ils s'étaient tous assis à terre en rangs circulaires. J'étais au centre, les yeux orientés vers le dôme, mon corps happé par la tour centrale. Je ne faisais plus qu'un avec l'édifice. Les dalles froides et disjointes glaçaient mes membres comme s'ils se métamorphosaient progressivement en pierre. Je me sentais lourd, scellé au sol. Mon frère compta plus de cinquante personnes disposées autour de nous. Ils voulaient tous voir l'« aveugle » aux yeux incolores humectés de sel comme l'écume des lacs desséchés. Frotter mes paupières n'ôtait pas cette poussière fine échouée sur mes joues, elle se reformait à la tombée de la nuit quand le sommeil m'emportait au-delà de la montagne. Chose étrange, même entouré de ces hommes, je me sentais seul au milieu de cet édifice et même aveugle, chaque mur, chaque angle, me renvoyait avec clarté l'espace alentour. La tour circulaire m'enveloppait comme un manteau chaud, et sa coupole couvrait ma tête d'une coiffe ajourée. Jamais je ne m'étais senti aussi bien que dans ce mausolée, jamais pierre n'avait aussi délicatement reproduit les contours de mon anatomie. Les villageois furent fascinés par le faisceau de lumière qui éclairait mon visage, que je devinais à sa tiédeur. Mille particules colorées par le soleil dégringolaient jusqu'à moi, j'en buvais l'éclat, inondé et submergé. Ce jour-là, je compris que je pouvais tout voir, le visible et l'invisible, on dit souvent que les yeux sont pareils aux flancs de la montagne, les miens devinaient son relief interne et ses plissements de roches tendres et dures. Le silence autour de moi, et le bruit de pas déambulant autour de nous. Parvis s'était introduit dans le sanctuaire, me défiant du regard. Mon frère m'indiqua qu'il portait à la main droite un târ qui émettait un tintement sournois. L'écho de ses pas se rapprochait de moi et j'entendis l'instrument se poser à terre. Le târ de Mohsen gisant au sol me renvoyait une chaleur douce entre mes deux genoux, j'ai touché son manche, effleuré ses cordes, mes doigts voyageant sur chacune d'elles, et j'ai caressé ses deux cœurs en pointe. Parvis, contre sa volonté, avait cédé à la requête du village, et me laissa jouer sur le târ de Mohsen.

« Joue de cet instrument, toi qui ne parviens pas à jouer sur celui de ton propre père. Ils sont convaincus que mon défunt père t'envoie parmi nous pour sauver notre village. Tes yeux vitreux leur rappellent celui qui ressuscitait nos morts et restaurait nos ruines. »

Parvis fut le seul à rester debout, adossé au pilier du mausolée. Les autres attendaient que j'ajuste l'instrument entre mon épaule et mon avant-bras. Au moment de le saisir, mes doigts gelés se réchauffèrent et mes yeux cessèrent de souffrir. Étreindre l'instrument avait fait disparaître ma douleur, ranimé mon sang noirci. Jouer de cet instrument dans ce mausolée avait renvoyé mon âme à son état originel. Mes mains en transe capturaient le silence et m'acheminaient vers la cime du monde, là où je n'étais encore jamais allé.

J'ai joué, le târ de Mohsen me livrait son intimité, jamais encore dévoilée à un étranger. Mes doigts vagabondaient, notes pareilles aux hurlements du loup, aux aboiements du chien. Les cordes souples et ondulantes se soumettaient à moi, captives entre mes phalanges agiles, retrouvant leur liberté au contact de l'air, décochant des flèches, multipliant les plaisirs purs. J'improvisais des arrangements et des accents rythmiques nouveaux, j'embellissais la ligne mélodique. Chaque son chassait le démon qui tentait de franchir les murs épais du sanctuaire, je l'expulsais par vibrations ininterrompues et repoussais la boue laissée par ses pieds. Mon ardent désir de Dieu l'avait refoulé au-delà de la montagne, ses grimaces et sa puanteur évaporées par le vent. Je connus l'extase, la transe d'être en Dieu, l'instrument de Mohsen retentissait à des kilomètres à la ronde, défiant les jours, les saisons et les vents. Frappes courtes et longues, notes sèches et aiguës, montantes, qui finissaient par éclater à la lumière. Mon corps tout entier avait quitté le sol. J'ai cessé de jouer mais le târ continuait à ma place, je gravitais comme une toupie, mes pieds foulaient le vide. Ce jour-là, je suis venu à la vie et je suis mort une centaine de fois aux yeux de tous. C'est l'ombre de la coupole annonçant la nuit qui m'a posé à terre. Le târ de Mohsen s'était échauffé tant les cordes avaient chanté, son bois réduit au silence depuis vingt ans était revenu à la vie. Mes yeux s'étaient asséchés comme un puits, mes tempes et mes paupières avaient au toucher l'aspect d'une roche pure sans la moindre aspérité. Mon regard vide confortait les habitants du village, les saints devinent Dieu sans le voir. Je me suis laissé porter par la foule, hissé par des bras robustes. Ils m'ont célébré dans toutes les ruelles de la ville, de son point le plus bas jusqu'à son sommet. Les uns baisaient mes mains, d'autres, mes pieds, les femmes s'agrippaient à mon manteau. Le târ de Mohsen suivait le cortège porté par d'autres. Bien plus qu'un simple instrument, ils voyaient en lui l'emblème d'un saint doté d'une mécanique divine. Vingt ans plus tôt, Mohsen avait accompli des miracles, j'allais moi-même en réaliser à l'aide d'une musique particulière, celle, indéchiffrable, que m'inspire le Très Grand.

Deuxième partie

Moi, Forough, épouse de Barbe blanche

J'ai attendu longtemps qu'ils reviennent. Mes fils s'en sont allés sans se retourner. Leurs pieds foulaient la terre sale du chemin, l'ourlet de leurs manteaux souillé par la boue. J'ai tapé des poings sur le montant en bois, l'implorant de me les ramener, mais le bois sonnait creux comme ma poitrine. Je me suis donné des coups, j'ai heurté cent fois ma tête sur cette porte, je finissais toujours accroupie, recroquevillée sur moi-même pour contenir ma douleur. Dans mes délires, il m'arrivait d'entendre des notes métalliques échappées de l'étage, je montais lentement sans rien perdre de cette musique qui ne trompe pas, des accords répétés à outrance suivis des mêmes finales prolongées. Barbe blanche, de son au-delà, revenait parfois chez lui, sans jamais faire de plis sur le divan ou déplacer les tapis. Il restait une heure ou deux, las de me savoir cachée. Quand il avait disparu, la pièce sentait son odeur et sa transpiration. Je ne voulais pas le voir, les injures de sa peau me terrifiaient, je le laissais venir et partir. Même mort, cette maison continuait à lui appartenir. Je ne pouvais empêcher son retour. Il lui arrivait de me chuchoter des choses mais je ne répondais jamais, je le devinais dans l'entrebâillement de la porte, son corps prostré, les yeux fermés, jouant de son instrument. Seules ses mains étaient visibles, phalanges osseuses recouvertes d'un lin blanc. Musique macabre qui m'arrachait à moi-même. Je luttais, mordais mes avant-bras pour ne pas céder, me giflais pour ne pas perdre mon âme. Mais il reconduisait en boucle ce morceau lancinant qui engourdissait mes membres et paralysait mon visage. Les mains plaquées sur mes oreilles, je me bagarrais. Il n'insistait pas, disparaissait à la tombée de la nuit et sortait de la pièce en me contournant, des pas lents qui dévalaient une à une les marches sans toucher la matière, sa silhouette s'éloignait dans ce même chemin boueux sans laisser d'empreintes. Je ne l'ai jamais regardé, car regarder un mort suffit à le rejoindre. Je l'ai laissé longtemps me rendre visite, sans me plaindre et sans lui parler. Il ne me demandait rien, ni à boire ni à manger, pas même sa pipe qui ne le quittait jamais autrefois. Souvent, il prononçait mon nom, m'incitait à le suivre. J'entendais des râles sourds, des syllabes incompréhensibles, j'étais parfois prise de pitié, mais ne cédais jamais. Les roucoulements des pigeons l'interrompaient. Musique déclinant avec la lumière du jour, mélancolique et lourde, cordes à vide, frappes muettes qui annonçaient l'attaque de la séquence suivante. La lune mettait fin à ce concert informe. Je m'endormais avant la note finale, qui s'intercalait toujours entre les deux premières étoiles dans le ciel. Il déambulait alors dans la pièce, fixait la ligne de l'horizon sans fermer les paupières. Les bras croisés sur la poitrine, il frappait le sol du pied comme pour annoncer son départ. Le târ était un membre intégrant de son anatomie, se rangeait à l'intérieur de lui-même comme un organe dissimulé sous sa peau. À hauteur du chemin, sa silhouette se fondait dans la forêt, il m'était impossible de le distinguer, son corps se pétrifiait dans le paysage comme un tronc sec. Je savais que ce voisinage avec la mort allait un jour ou l'autre m'emporter, mais je résistais. J'ai fini par m'habituer à ses visites diurnes, il ne me faisait pas peur. J'attendais le retour de mes fils pour le chasser. À leur venue, rien ne m'empêcherait de bêcher cette mauvaise terre et de déterrer ces mauvaises racines. Mais rien, toujours rien, j'attends toujours qu'ils reviennent, rapportant le târ de leur père doté de nouvelles cordes. Le premier chant du coq m'invite chaque matin à regarder la perspective vide de la route, jamais de Nur ou de Hossein à l'horizon. J'aimerais à nouveau les embrasser, et caresser leurs barbes juvéniles, mais ma main heurte la vitre de ma chambre à défaut d'effleurer leur peau. Scruter ce chemin en terre crue me rappelle leurs jeux d'enfants, leurs rires emplissaient les frondaisons des platanes derrière lesquels ils se cachaient. Nur imitait son père, sa pose hiératique, et ses yeux abandonnés dans les vapeurs d'opium. Instrument imaginaire calé entre ses deux bras, il grattait les cordes et plaçait ses doigts sur des ligatures invisibles. Hossein riait tellement que le turban de Barbe blanche se penchait sur le rebord de la fenêtre pour taire le vacarme. Quand Nur fermait les yeux dans son mime, il me rappelait Mohsen, ce jeune aveugle qui jouait de son târ les paupières closes mais le cœur tout entier ouvert sur le monde. Élèves du grand maître Aqâ Hossein Qoli, ils venaient répéter tous deux à la maison à la tombée de la nuit. Les vapeurs d'opium de mon époux le barricadaient dans ses accords impossibles. Mohsen quittait la pièce enfumée et tâtait les murs à ma recherche. Moi, Forough, fille du tisserand d'Orumiyeh et jeune épouse de Barbe blanche, je me suis donnée à Mohsen comme on s'offre à Dieu, avec la même dévotion. J'avais dix-huit ans, les habits neufs d'une jeune mariée, et quelques tapis confectionnés par mon père.

Il est entré sans frapper à la porte. Barbe blanche, même mort, n'avait pas oublié les marches délabrées de l'escalier, celles qu'il évitait de son vivant. Le bois tendre, brisé à certains endroits, ne grinçait plus à son passage, son corps ne pesait pas bien lourd. Ce jour-là, il se terra des heures à l'étage sans m'appeler. Les notes amorties par ses doigts tombaient à l'aplomb du sol comme des gouttes d'eau. Mais l'eau n'était pas eau, et mon époux n'était plus lui-même, un visiteur sans voix et sans regard tout entier happé par cet instrument invraisemblable. Moi, je restais dans une pièce annexe, achevant l'ouvrage d'une corbeille en paille de riz, j'entendais les articulations de ses genoux, et des bruits de pas qui venaient à ma rencontre, claquement du bois qui signait sa trajectoire. Je me suis voilé le visage et j'ai posé mon ouvrage, des prières à peine audibles sortaient de ma bouche. J'ai vu son corps affranchi de la matière, une silhouette à la légèreté désarmante, aux contours indéfinis. Il parla longtemps, des paroles molles sans modulation, les mêmes mots dits en boucle qui cherchaient à me punir. Yeux à terre, j'acceptais son châtiment, sa voix me bousculait mais je ne quittais pas ma chaise, serrant de toutes mes forces les entrelacs de paille jusqu'à les rompre. De son long discours, je n'ai retenu qu'un nom, « Mohsen », deux syllabes qui assaillaient mes oreilles, notes redoublées, attaques mordantes qu'il répétait comme deux frappes métalliques obtenues à l'aide de l'ongle crochu de son annulaire. C'est la colère qui le faisait revenir parmi les vivants, je l'ai laissé m'humilier et me couvrir d'injures sans l'interrompre. Le reflet du soleil couchant sur le mur l'emporta, l'air contenu dans sa poitrine stagna longtemps dans la pièce. J'ai ouvert la fenêtre pour purifier l'air, balayé l'entrée de notre maison. Le long chemin bordé de platanes toujours vide à l'horizon. Je savais que Barbe blanche allait revenir dès le lendemain m'accabler à nouveau de sa présence, mais peu importe, il ne me faisait plus peur. Je devais l'aider à mourir vraiment, à se pardonner ce crime, celui d'avoir tué Mohsen, un soir d'hiver dans le mausolée de ses ancêtres. J'avais porté l'enfant de Mohsen né de l'accord parfait d'une corde et d'une note, d'une vibration infinie qui irriguait mes veines. J'étais son instrument, celui qui résonnait sous ses doigts à défaut d'être vu par ses yeux. Mon corps était fait de cordes qui lui renvoyaient les sons purs de mon amour.

De Mohsen, je n'ai gardé qu'une boîte, un plumier en papier mâché peint en polychromie. Mes doigts caressent souvent son couvercle laqué. J'ai entrouvert mille fois ce plumier, contemplé ses calames et lu le poème qui m'était dédié. Il me semblait à chaque fois l'ouvrir pour la première fois. Page dépliée avec la même minutie depuis des années. L'écriture de Mohsen vagabondait sur le papier, lignes distendues étirées par son souffle. Le même rituel accompagnait mes gestes, je repassais chaque lettre de cette strophe à l'aide d'un calame sec. Retracer les lettres réveillait son âme un instant. Cette strophe n'avait plus de secret pour moi, mon poignet soulignait les mots sans jamais quitter le papier, comme une semence également répartie. Mon esprit déchiffrait le poème sans encre et sans salive. La voix de Mohsen hantait la pièce, chuchotements répartis derrière ma nuque parcourue de frissons.

Quand nous aurons déserté ton âme fine et la mienne,

Une ou deux briques posées cloront ta fosse et la mienne;

Puis pour d'autres sépultures les briquetiers un beau jour

Enfourneront dans leur moule et ta poussière et la mienne*.

Les paupières closes de Mohsen à cet instant voyaient tout de moi. Réveiller son âme ne durait qu'un instant. Le poème et le calame tapis à l'intérieur du plumier, l'obscurité les gagnait à mesure que le couvercle coulissait. Rituel déclinant les mêmes gestes, depuis la mort de Mohsen, je célébrais sa mémoire à ma manière, les répétitions en boucle de Barbe blanche dans la pièce voisine ainsi que les vapeurs d'opium qui sortaient de l'embrasure de la porte me laissaient libre d'agir. Il soulageait sa conscience dans cette fumée grasse, ses yeux vitreux scrutant le plafond se refermaient comme pour oublier, oublier cette nuit de malheur qui l'avait fait commettre l'irréparable. Mort depuis des semaines, il venait

---

* Quatrain d'Omar Khayyam.

traîner son corps tel un fardeau dans notre demeure pour se repentir de ce crime. Il se parlait à lui-même, chuchotant secrets et confidences, cherchant à attiser ma curiosité. Je l'ai finalement approché, quelques mètres me séparaient de lui. Il ne faisait pas peur, des traits à peine reconnaissables, la mort avait tout effacé de son visage, une surface plane, sans relief et sans couleur. Le corps de mon époux était entièrement recouvert de linges, comme un nouveau-né qu'on ligote. Il avait gardé de sa vie antérieure cette odeur qui lui était propre et ce dos bossu qui lui servait de support pour son târ. J'ai parlé la première, je lui ai raconté nos longues années de mariage sans bonheur, ses délires quand l'opium le dominait et ses emportements qui faisaient trembler les murs. Et son isolement à répéter des journées entières le même accord qui plus d'une fois me fit fuir la maison pour chercher le silence le plus loin possible sans reprendre mon souffle. Étreindre les platanes et pleurer sur leur écorce me donnait le courage de revenir. Mes mains brûlaient d'envie de briser cet instrument. Je revenais en traînant des pieds, et à mesure que j'avançais les notes me rappelaient qui était le maître. Balayer le seuil de la porte chassait les sons comme on chasse la poussière charriée par le vent. Te rappelles-tu le jour où tu as ramené chez nous cet aveugle ? Tu l'avais invité, convaincu qu'il te donnerait les clés de ses transes musicales. Tu m'avais souvent parlé de ce musicien accompli à la rythmique savante et aux sonorités puissantes. Le jour de sa venue, le ciel avait changé de couleur et la boue du chemin avait séché comme par miracle. Ma mémoire est sans faille, je vous ai vu arriver tous deux de la ville, tu lui tenais le bras pour lui indiquer la direction de notre demeure. Les platanes freinaient votre allure, j'ai vu son visage ombragé par les branches et ses paupières closes comme si ses yeux récitaient une prière. Je me suis voilé le visage et je suis rentrée. L'aveugle montait les quelques marches du perron à la même allure que les battements de mon cœur. Dieu seul sait ce qui s'est passé ce jour-là, tu m'as présentée à lui brièvement, trop pressé de le conduire à l'étage pour le voir jouer. Mohsen me fit les politesses d'usage et me sourit. Il chassa mes angoisses et mes frayeurs. C'est le sourire de Dieu que j'ai vu ce jour-là et qui m'inonda de toute part.

Barbe blanche avait disparu à la première étoile, je parlais toute seule, mes yeux en direction du sol, la direction des souvenirs. Je ne l'avais pas

vu s'éclipser, les morts sont discrets, ils ne signa-
lent jamais leur départ. J'attendrai demain pour
lui raconter cette histoire. Il a tout son temps
maintenant pour l'écouter.

« Je te connais mieux que personne. Petit, tu ne parlais point et vivais dans la forêt. Des jours entiers à courir sur les rocailles et les fragments de sel cristallisés du lac. Le lac était ta tanière, notamment cette île où tu te réfugiais dès la tombée de la nuit. Les rives de la terre ferme n'étaient pas bien loin. À l'aide d'un burin, tu gravais dans la roche des noms symboliques que tu accompagnais ensuite de quelques notes pour les baptiser. Tes pieds ravagés faisaient penser à ceux d'une bête sauvage, rôdant toujours à l'écart des habitants mais jamais bien loin. Mon père, tisserand d'Orumiyeh, ne devinait jamais ta présence derrière les bosquets de notre demeure, pourtant les cailloux lancés à ma fenêtre tombaient à terre par dizaines. Ma maison était ton repaire de clair de lune. Lors des nuits d'été, on entendait les notes de ton târ interrompre les ululements des chouettes, tes pieds nus écrasant les feuilles me donnaient le signal de ton départ. À l'adolescence, tes pieds se vêtirent de souliers et tes épaules d'un manteau en laine, on te couvrit la tête d'une coiffe de fourrure. Tu déambulais toujours autour de ma maison, cherchant à capter mon regard. Nos confidences nocturnes d'enfants avaient laissé place à une grande timidité. Le jour où tu arboras une moustache d'un noir d'ébène, mes yeux te virent différemment. Tu venais rendre visite à mon père, lui jouait des morceaux quand ce dernier manœuvrait les navettes de son métier à tisser. De longues années avant d'avoir l'approbation de mon père, un passage obligé par la madrasa et le hammam pour devenir le digne gendre du grand tisserand d'Orumiyeh. Le jour de sa bénédiction, tu m'emmenas sur ton île et me dévoilas ses longs poèmes d'amour parfois gravés dans la pierre ou simples graffitis délavés par les eaux de pluie. Tu n'as connu qu'une femme et cela te suffit amplement. J'avais quinze ans, des robes chamarrées et de longs manteaux en laine confectionnés par ma mère. Mon père nous offrit cinq tapis, des années de travail, disait-il, et des matelas venus d'Occident. Le târ était alors dans ton ombre avant de devenir un locataire omniprésent. Tu préférais le bois tendre de ton târ à ma peau rarement découverte. Les femmes étaient affectées du même registre, contrairement à ton instrument qui te surprenait chaque jour davantage. »

« Te rappelles-tu ce jour où Mohsen nous déclara que le divin essaime partout ? Il n'avait qu'à tendre l'oreille pour entendre Dieu. État immatériel où la musique et ses sonorités n'étaient plus nécessaires. Tu l'assaillais de questions, en vérité, tu n'avais jamais connu ce sentiment spirituel où l'âme se dissout dans l'écoute interne des choses. Il te disait que tes notes se rapportaient à l'amour physique visant le désir sensuel et il condamnait les artifices dont tu usais pour atteindre l'extase.

« "Le divin se trouve en tout et converge vers le tout. L'extase survient au moment où la musique nous permet de contempler l'univers comme un livre ouvert."

« Tu t'aidais de formules répétées, frottant les cordes de ton târ avec acharnement. "Il n'y a de Dieu que Dieu, il n'y a de Dieu que Dieu, il n'y a de Dieu que Dieu." Tes gesticulations, tes comportements inattendus et désordonnés, ne traduisaient que ton impatience à accomplir ce désir d'être en

Dieu. Mais ta musique reflétait ce qui se cachait dans ton cœur, la jalousie te faisait perdre patience et l'opium te consolait de ton impuissance. Tes accords sans cesse renouvelés te plongeaient dans un état quasi somnambulique, jeux de mains hérétiques et sans piété, musique indomptée et dévoyée. Je me rappelle ce jour où Mohsen joua chez nous un long morceau. Je l'écoutais, mes mains cerclaient les pailles de riz en suivant la cadence. L'écouter m'emporta loin de moi-même, loin de cette masure aux murs délabrés. Il me semblait entendre les fleurs des arbres frissonner, les oiseaux cessèrent de gazouiller et les animaux domestiques s'avancèrent à pas lents vers la fenêtre. J'ai fermé les yeux pour ne rien perdre de cette musique qui irriguait mes veines, mes doigts glissaient sur la paille me caressant de l'inté-rieur, mon corps pétri par vagues successives, tiges souples dont j'estompais les contours en repro-duisant les mêmes rythmes. Oui, ce jour-là, la musique de Mohsen déclencha en moi la passion, mon corps consigné de ses portées lyriques. Je m'abreuvais à ce puits de sons, mon souffle noué dans ma gorge accompagnant ce sinueux voyage à travers le plaisir. La musique de Mohsen était un océan, je n'étais qu'une larme. L'écouter était à la fois un plaisir et une souffrance. Les accords avaient laissé des empreintes sur ma peau. Puis le silence, tant de beautés qui après m'avoir pénétrée se retiraient sans raison. J'ai entendu ses genoux fléchir sous son poids, le plancher me renvoyait le bruit de ses articulations. L'aveugle se préparait à écouter la démonstration de Barbe blanche, une surenchère de notes sans âme, des variations citadines chargées d'ornements, bavardage truffé de redites. La musique de Mohsen était comme de l'eau, si on lui barrait la route, elle trouvait son chemin ailleurs. Celle de Barbe blanche, comme la terre semée de remblais et de monticules. Mon époux ne renonçait à aucune fioriture, il engloutissait sans reprendre son souffle ce défilé de notes avides. J'ai repris ma paille de riz, achevant ma corbeille. La musique de Barbe blanche piquait ma peau, elle cherchait appui sur mes membres à défaut d'être soutenue par l'air. Ses notes boitaient, puis échouaient sur le sol. J'avais des douleurs aux entrailles, je transpirais abondamment. Il me semblait entrevoir la silhouette accroupie du diable avancer à pas lents sur notre toit en terrasse, son instrument à anche répandant une musique infernale. J'ai bouché mes oreilles, mais un sifflement continu dominait mes sens. C'est la pluie qui m'a délivrée, un déluge qui emporta en une trombe ce concert. Barbe blanche cessa de jouer sur une note à vide, impatient d'entendre les commentaires de Mohsen.

« "La musique ne provoque pas dans le cœur ce qui ne s'y trouve pas." »

« Ce jour-là, tu détestas Mohsen. »

Le mort ne me répondait pas, il avait écouté ce que je n'avais jamais osé lui dire de son vivant. Son corps à peine sorti de la terre déambulait comme un homme malade. Son errance dans cette maison n'était pas un hasard. Barbe blanche n'avait été accueilli par personne le jour de sa mort. Ni paradis ni rivières, mais un terrain vague comme celui situé aux alentours de notre demeure : en vérité, il n'avait nulle part où aller.

Le plancher grince sous ses pas. Les mêmes déplacements giratoires, comme s'il déambulait autour d'une relique. Et cette odeur de terre mouillée, la même qui couvrait son corps des pieds jusqu'à la tête. Barbe blanche cherchait des points d'eau pour voir son reflet, les bassines remplies par la pluie et laissées sous l'auvent depuis son décès lui renvoyaient ses contours, mais ses traits estompés avaient disparu définitivement. Il n'y a que la mort pour nous faire oublier les visages qui nous ont accompagnés toute une vie. Barbe blanche avait de son vivant une peau ravinée. Les cordes de son instrument sans cesse brutalisées et battues avaient modelé sa face à leur image. Son front était creusé de cinq tranchées profondes dans lesquelles on aurait pu loger les cinq cordes de son instrument. La maigreur de Barbe blanche visible malgré les épaisseurs de laine dont il se couvrait comprimait les vibrations de son târ. En comparaison, Mohsen avait une peau lisse, des joues emplies d'une matière qui renvoyait un son pur et charnu. Je me rappelle les mains de Mohsen explorant mon visage pour en deviner les proportions, son pouce franchissait mes narines et mesurait l'air expiré. Ses mêmes doigts qui posés sur mes paupières faisaient frémir mes cils. L'inventaire de mon visage durait plusieurs heures, alors que les yeux vitreux de Barbe blanche ne voyaient rien. L'opium l'enlisait dans un sommeil lourd. Son corps vautré, un mollet oscillant dans le vide, il exhortait une foule de génies allégoriques, les empoignait avant de reconnaître, après des heures de lutte, que ses mains n'arrêtaient pas leur vaine cavalcade. Alors, il les applaudissait, les félicitait avec ardeur, congratulations extravagantes adressées à cette foule invisible. Son vacarme couvrait nos bruits. Quand les doigts de Mohsen ne savaient où aller, je guidais sa main sur ma peau, il parcourait ma poitrine, traversait ma gorge serrée et contournait mes épaules, ses deux mains observant une stricte symétrie des gestes. Ses doigts sur ma bouche entravaient mon souffle. Mohsen agrippait ma nuque comme le manche de son instrument, caressait son périmètre de chair avec la même autorité que les chevilles vernies de son târ. Mon ventre enfermait les notes secrètes et retenues de mon amour, seules les mains de Mohsen les délivraient. Mes hanches contenaient un temps ce réservoir de sons qui s'affranchissaient de la matière. Les yeux de Mohsen ne se déplaçaient jamais, ils fixaient ma gorge comme si cette région était la seule capable d'émettre des sons. Mohsen pinçait un à un mes doigts de pieds, les pressait contre ses lèvres et soufflait dans les creux, gammes ascendantes et descendantes qui sillonnaient mon corps, marches accélérées par mes gémissements. J'étais à lui tout entière, son instrument, sa corde unique, celle capable de produire mille vibrations sous ses doigts, mais jamais un cri ne déchira le silence, Mohsen, après le plaisir, traçait toutes sortes d'inscriptions invisibles sur moi. J'étais sa note nue qu'il habillait d'ornements, qu'il parait suivant son inspiration. L'ongle de son index droit employé comme plectre sur ma peau. Notes de passage et pressions exercées en différents points sur ma peau. Barbe blanche dormait en proie à des visions délirantes. Rien n'aurait pu le réveiller. J'humectais ses lèvres d'eau sucrée, massais ses mollets et accrochais son instrument sur le chambranle de la porte. C'est la faim qui le ramenait à lui-même et ses tremblements. Barbe blanche avait toujours froid. Il broyait la viande de mouton à l'aide d'un pilon et avalait la croûte du riz en mastiquant longtemps. Il regardait ensuite ma corbeille qui n'avait guère avancé depuis des jours et se nettoyait le visage en crachant une salive saumâtre. Il poussait la porte de notre maison, marchait le long des platanes en direction de la ville pour retrouver Mohsen. Il voulait lui raconter ses songes, ses images visionnaires et les rythmes imprimés dans sa mémoire qu'il lui était cependant impossible de retranscrire. L'opium lui faisait perdre son âme et ses talents de musicien, il cherchait cet accord parfait, cette harmonie qui enchante et captive le Très-Haut, mais jamais il ne parvint à la capturer. Il enviait Mohsen qui avait goûté à Dieu, une saveur de terre et de ciel. À l'automne, Mohsen quitta Orumiyeh, il disait cette ville désertée par la grâce et voulait retrouver celle de ses ancêtres. Nul adieu à l'exception de ce poème qu'il enferma dans ce plumier en papier mâché et qu'il m'envoya par l'intermédiaire de la fille du pêcheur du lac. Elle avait couru jusqu'à la maison, piétinant et reprenant son souffle, ses yeux rivés sur le couvercle. Elle sentait l'objet si précieux qu'elle le tenait délicatement par les extrémités. Elle arriva à ma porte, ses genoux couverts d'écorchures mais l'objet intact. J'ai lu le poème jusqu'à la tombée de la nuit, j'admirais l'écriture à l'encre nappée de poudre de safran. Mes narines effleuraient le papier pour ne rien perdre de cette odeur. On dit que les aveugles n'ont pas besoin de dire adieu, car les visages ne sont rien pour eux, Mohsen m'avait dit adieu à sa manière, en me laissant un peu de lui à l'intérieur de moi-même.

Hossein est venu au monde à la fin du printemps. Barbe blanche, accroupi dans une pièce voisine, jouait sans répit depuis plusieurs heures. Mes hurlements mirent fin à ses accords, ses pas précipités en direction de ma chambre lui firent oublier son instrument. Il essuya la sueur de mon front et regarda fasciné les petites mains de bébé se débattre dans le vide. La sage-femme du village posa Hossein sur ma poitrine. Elle enterra le placenta et les eaux souillées sous un des platanes, je n'ai jamais su lequel. Barbe blanche, troublé par les hurlements de bébé, joua quelques airs, mouvements aisés, non crispés, passant d'une corde à l'autre, notes intimistes et divisions étendues qui ramenèrent le silence à la maison. Le petit Hossein scrutait le plafond, cherchant la provenance des sons. Le vent claquait sur les vitres de la fenêtre, deux rafales avaient emporté cette berceuse enfantine. Le pigeonnier nous renvoyait les battements d'ailes frénétiques des volatiles qui se battaient contre les gouttes de pluie. Des larmes chaudes, des houles qui s'échouaient sur mes joues avec la même intensité que l'averse. Les paupières de mon fils endormi sur mon sein me rappelaient celles de Mohsen explorant mon buste et franchissant ses multiples saillies. Les mêmes doigts fuselés et les mêmes paumes charnues, des oreilles moulées par les mains de Dieu qui avaient pris ce jour-là tout son temps. Le petit corps de Hossein dupliquait en miniature les lignes et les champs de son père, ce corps qui n'avait plus de secrets pour moi tant je l'avais aimé. Je me suis occupée de Hossein avec dévotion, accompagnant son éveil de rituels d'amour que je déployais chaque jour avec passion. Barbe blanche l'initiait à la musique, approchait les cordes à portée de ses doigts potelés. Ses mains passaient de mes bras protecteurs au bois sec de l'instrument sans nulle crainte, il pinçait les cordes, les tirait avec une telle ardeur qu'il détacha l'une d'elles de son chevalet. La colère de Barbe blanche fit sangloter si fort l'enfant que des spasmes le secouèrent un long moment. Objet de toutes les convoitises, l'instrument accroché chaque soir au chambranle de la porte était inspecté avec la plus grande attention. Hossein sautait sur ses pieds joints pour l'atteindre. Son index effleura des mois entiers les bordures inférieures, puis le rang de cordes et finalement la caisse de résonance qui logeait des objets insolites. Hossein aimait y introduire les cailloux collectés sur les rives du lac d'Orumiyeh. Le târ lourd de ces occupants était vidé à la tombée de la nuit, l'odeur salée du rivage hantait les parois de l'instrument, une odeur de filets comme ceux des vieux pêcheurs accroupis qui se sont fossilisés dans la roche.

À l'âge de six ans, Hossein commença son apprentissage. Barbe blanche lui dessinait des schémas circulaires illustrant le rythme fondamental. Ses taqsîm* s'agrémentaient de nouveaux matériaux et se concluaient par des cadences mélodiques que l'enfant comprenait avec une facilité déconcertante. Les pupilles de Barbe blanche le fixaient avec ténacité, ravi d'avoir trouvé un interlocuteur si attentif. Au bout de quelques heures, l'appel à la prière de la mosquée Azam interrompait ce long monologue, il rangeait papier, ébauches et dessins algébriques et lui rendait sa liberté d'un geste de la main. Les yeux de Hossein regardaient cette silhouette pareille à son instrument, il lui arrivait de penser que son manche en noyer n'était qu'une paire d'os mal assemblée.

---

* Division.

Barbe blanche a déserté la maison, sa présence ne hante plus les murs fissurés de cette vieille demeure. Pas âme qui vive sur le chemin bordé de platanes, les oiseaux de notre pigeonnier ont cessé de s'ébattre. Les marches de l'escalier ne grincent plus sous ses pas. Les bassines d'eau se sont répandues à terre, recouvrant le sol de flaques inégales. J'ai ramassé l'eau une journée entière, essorer le tissu me rappelait la nuit du drame, cette nuit de déluge qui avait fait déborder le lac. Barbe blanche avait couru la nuit entière, des kilomètres de forêts, de rizières, de chemins abrupts et de collines rocailleuses. Il avait fui Ardabil comme on fuit le diable, sans jamais regarder derrière lui. Sa peur lui avait fait franchir des régions de terres ravinées et semi-désertiques, il avait trouvé refuge dans des forteresses en ruines, des citadelles parsemées de débris en terre cuite. Barbe blanche portait à la main son târ qu'il abritait sous son manteau. Il cherchait la lune, mais elle avait déserté le ciel. Ce soir-là, il traversa plusieurs vies, autant de paysages contrastés qui le firent vieillir de cent ans. Au petit matin, quand il rentra à Orumiyeh, sa barbe avait blanchi en l'espace d'une nuit, ses sourcils autrefois noirs étaient devenus des buissons blanc argenté. Son manteau en laine était chargé d'une eau lourde qui accablait sa marche. Il tomba à terre dans un grand fracas, laissant tomber son instrument. Du sang recouvrait les ligatures et les cordes, un sang qui ne cessait de couler. Je ne pouvais arrêter le flux, le sang se déversait sur mes mains. Le rincer ne servait à rien. J'ai mis du temps à comprendre que le târ de Barbe blanche regorgeait du sang pur de Mohsen. J'ai plaqué l'instrument sur ma poitrine, à genoux, j'implorais Dieu de rendre la vie à son propriétaire, Barbe blanche dans sa semi-inconscience entendait mes prières mais son corps gisant au sol ne manifestait aucun signe de vie. Ce jour-là, le soleil se coucha plus tôt. Barbe blanche se releva et me sépara de l'instrument comme on enlève un enfant mort à la poitrine de sa mère. Le târ avait séché, sa surface rêche avait changé de couleur. La caisse de résonance en bois de mûrier et les chevilles en noyer avaient noirci comme l'ébène. Il l'accrocha au chambranle de la porte et monta péniblement les marches de l'escalier. Barbe blanche était devenu un vieillard, sa gorge ressemblait aux parois d'une grotte, peau translucide perforée d'excavations multiples. Puis la nuit fut totale. Barbe blanche s'isola plusieurs jours, procédant à de multiples ablutions et prières. Il brûla ses vêtements, la longue écharpe de son turban et ses chaussures éventrées. Il acheta de nouveaux habits et tailla sa barbe en deux pointes effilochées. Il ne joua plus pendant des mois. Son târ n'était plus un simple instrument de musique mais une arme encore pleine de l'âme de sa victime. Son bois dégageait une odeur désagréable, des relents acides qui piquaient mes narines. Il nettoyait l'instrument, astiquait chacune des cordes avec rage et y introduisait une éponge humide pour frotter les parois intérieures, mais le târ continuait à répandre cette odeur de putréfaction. Le soleil qui entrait dans notre maison chaque matin dessinait une ligne séparatrice de lumière sur l'instrument qui éclairait le bois d'un faisceau de poussière aux mille particules. Le pouls de Mohsen battait encore dans les nervures arides du bois, ses chuchotements faisaient frissonner les cordes. Les chuchotements cessaient au passage de Barbe blanche comme s'il reconnaissait son assassin. Il m'arrivait d'approcher un débris de miroir pour capter sa

111

présence, mes lèvres molles s'engourdissaient et devenaient brûlantes, un souffle chaud échappé de l'instrument serpentait en moi et baignait mon visage d'une onde tiède. Je reconnaissais l'odeur de la salive de Mohsen qui couvrait autrefois mon corps, ma nuque et mon ventre, ce flot qui habillait ma peau d'ondulations, de glissements et d'abandon. Barbe blanche avait perdu l'usage de la parole et criait dans son sommeil. Un sifflement monocorde envahissait ses oreilles. Il se rappelait les yeux éthérés de Mohsen agonisant au sol dans ce sanctuaire qui devint sa propre sépulture. Notre maison était muette jusqu'à ce jour où il décrocha l'instrument et joua les accords enseignés par Mohsen. Il trouvait son salut dans les quelques notes inspirées de ce musicien aveugle qu'il avait tué un soir d'hiver dans le sanctuaire d'Ardabil.

« Pourquoi l'as-tu tué ? Pourquoi le détestais-tu autant ? On ne déteste pas un aveugle avec une telle rage. Ses transes mystiques te ramenaient sans cesse à ta triste condition humaine. Dieu n'a jamais entrebâillé sa porte pour t'écouter jouer alors qu'il l'entrouvrait toujours pour Mohsen. Il plaquait son oreille dans la fente de cette porte entrouverte et entendait Dieu tourner en rond. Il l'avait trouvé sans jamais le chercher. Ses notes pareilles au ruisseau lui faisaient entrevoir la lune et non son reflet. Il écoutait la lune parler au fond du ruisseau. Cette eau ne se boit pas, m'avait-il dit, car elle est la même que là-haut. Vois-tu, Barbe blanche, Mohsen vit plus que mon reflet. »

Barbe blanche, enrobé d'un cercle de lumière, voguait dans l'obscurité. Il ramait seul, comme si sa vie se réduisait à cette barque. Il ramait sans jamais rompre le rythme, sa barque disparut à l'apparition de la première étoile. Étrange embarcation qui gagnait le silence, une bougie à la main, je suivis sa trajectoire jusqu'à heurter le mur de la pièce. J'ai déployé mon matelas à terre, soufflé sur la bougie. Mes rêves cette nuit-là me plongèrent dans l'eau lourde d'un étang, je nageais immobile dans une eau marécageuse sans pouvoir gagner la rive. Barbe blanche voulait m'attirer dans sa propre mort, un paysage sans lune et sans soleil. J'ai contourné le marais, décidée à ne pas me laisser faire. J'ai lutté, longtemps, la mort respirait autour de moi. J'ai fui le silence, nagé à contre-courant, heurtant l'écume lourde qui me repoussait sans cesse. Et je me suis écroulée au sol, mes cheveux enchevêtrés par la vase. Je me suis réveillée sur ce même matelas, l'agrippant avec force comme pour m'échapper de cette nuit effrayante. Nulle trace de vase, mes cheveux coiffés la veille étaient restés lisses et la bougie gisait, renversée par un geste brusque. Barbe blanche aurait voulu que je meure comme lui, mais je n'ai pas cédé. Il avait laissé une odeur familière, celle de l'opium. J'ai ouvert la fenêtre, chassé l'odeur qui avait imprégné les murs de la pièce. L'au-delà de Barbe blanche privait de lumière les yeux et le cœur, il était pauvrement vêtu, même l'obscurité ne parvint pas à dissimuler l'usure de ses babouches et la saleté de son manteau. Je l'ai chassé à tout jamais de la maison en hurlant au vide :

« De l'étang, je ne ferai jamais ma demeure. »

Ce jour-là, j'ai nettoyé ma maison avec rage, le savon gras blotti dans la paume de ma main gauche et une brosse dans ma main droite. Laver à grande eau les sols, chacune des niches des murs qui regorgeaient d'une poussière épaisse. J'ai lavé mes tapis, une eau saumâtre a recouvert l'entrée de ma maison, je l'ai expulsée, j'ai déchiré et brûlé les vieux tissus, ces textiles chamarrés reçus à mon mariage. J'ai nettoyé mes vieilles marmites et l'abreuvoir situé en contrebas du jardin. J'ai tapé tous les matelas, celui de Hossein sentait l'odeur de ses cheveux, j'ai respiré sa couche jusqu'à ce que l'odeur disparaisse. J'ai retrouvé le livre de prières de Nur, et les traces de sa salive à l'angle inférieur de chaque page. Où sont mes fils ? Pourquoi tardent-ils à revenir ? Des mois entiers à les attendre les yeux rivés sur ce chemin. J'aurais voulu courir pour les étreindre, baiser leur front et bénir Dieu de me les avoir ramenés en bonne santé. Mais rien, toujours rien. À cet instant, j'ai entendu des pas dans l'allée, des pas laborieux poussés par des rafales de vent. Des pas qui foulaient la terre avec difficulté, suivis d'une respiration sourde. L'auvent de la maison me renvoyait l'écho d'une silhouette ramollie. L'homme s'était arrêté devant la porte et frappait à l'anneau. Un coup, le silence, deux coups et le silence. Barbe blanche frappait avec insistance, je n'ai pas répondu. Il m'a appelé par mon prénom, m'implorant de lui ouvrir la porte, frappant encore de ses deux poings pour m'intimider. Mais je n'ai pas bougé. Ce jour-là, Barbe blanche comprit. Il n'avait plus rien à faire dans le monde des vivants. Il lâcha l'anneau et tourna le dos à sa maison. L'allée de platanes qui ombrageait ses épaules absorba le peu de lumière qu'il possédait encore. L'écorce des troncs ramollis par les averses le fit disparaître. Barbe blanche ne revint plus jamais, il erra longtemps autour du lac d'Orumiyeh, invisible et imperceptible, puis se résolut à regagner les marécages peu accueillants de son au-delà. Ma période de deuil était finie. J'attendais le retour de mes fils. Ardabil n'était pas bien loin, j'espérais qu'ils revinssent au début du printemps.

Troisième partie

Moi, Nur, fils de Barbe blanche

Ardabil nous fut hostile à l'image de sa forte-resse. Nous étions venus remplacer les cordes du târ de Barbe blanche chez le luthier de la ville connu pour être le meilleur de la région. Nous avons été enfermés dans une cellule noire de crasse avec quelques écuelles d'eau de pluie en guise de breuvage. Le pain se rompait comme de la terre cuite entre nos doigts. Parvis, fils de Mohsen et descendant du patriarche soufi Cheikh Safi od-Din, nous attendait depuis longtemps. Il disait guetter les fils de l'assassin. Il patrouillait chaque jour dans la forêt et pressentait notre venue. La mousse, prétendait-il, avait changé de couleur la veille de votre arrivée. Nous nous étions endormis dans un vieux caravansérail quand il nous avait dérobé l'instrument de Barbe blanche. Nous fûmes séquestrés dans l'obscurité pendant des semaines. J'étais le seul à goûter à la clarté du jour, les habitants me mettaient à contribution pour la reconstruction du sanctuaire. Mes mains, à force de toucher la terre crue, se sont érodées comme les tours de feu de nos ancêtres. Mon frère, Hossein, a progressivement perdu la vue, des dépôts blanchâtres inondaient ses yeux comme l'écume salée du lac d'Orumiyeh qui recouvrait les limons boueux. Je n'ai rien pu faire, j'abreuvais ses paupières d'eau de pluie mais le mal ne délogeait pas. Les gens d'Ardabil y ont vu un signe, la cécité leur rappelait ce musicien du nom de Mohsen, aveugle de naissance, qui avait accompli toutes sortes de miracles. Tous vouaient un culte à ce saint aux allures de prophète. Son târ était pour eux la main de Dieu sur le monde. Pourquoi notre père l'aurait-il tué ? Tous deux élèves du grand Aqâ Hossein Qoli, ils étaient les plus doués de leur génération, mais l'un d'eux avait paraît-il un don pour convier le Très-Haut à chaque vibration métallique. Les exploits de Barbe blanche étaient répétitifs et ennuyeux tandis que Mohsen savait mieux que personne réveiller la lumière. C'est le céramiste de la cité qui a retrouvé la dépouille de Mohsen. Il dit n'avoir jamais oublié son regard. Depuis, ses assiettes en terre cuite reproduisent ces deux yeux de la couleur du ciel. Mon frère, Hossein, a le même regard et les mêmes griffes creusées dans ses tempes qui semblent sourire aux nues à défaut de les voir. Ils ont libéré mon frère après plusieurs semaines de captivité et l'ont conduit au sanctuaire. Parvis s'y était opposé, mais les villageois lui ont dit que son cœur regorgeait de haine. Ils ont glissé dans les mains de Hossein l'instrument du saint. La ressemblance les a bouleversés, les ombres et lumières de la coupole dessinaient sur le visage de mon frère les mêmes modelés que ceux de Mohsen, des pommettes sculptées tels des réceptacles orientés vers Dieu. Nul ne sait ce qui s'est produit ce jour-là, un miracle, un enchantement. Mon frère happé par la lumière, ses yeux enveloppés de particules minérales, gravit le vide au rythme de ses notes étendues. La coupole l'attirait irrésistiblement. Il joua et chaque accord le hissait plus haut dans cette tour au fût invisible. Ses doigts quadrillaient les ligatures du târ de Mohsen comme s'il le connaissait depuis toujours, les notes se fondaient en lui et alimentaient sa transe. Les yeux de mon frère étaient blancs comme la neige d'une montagne, les veines de ses tempes dessinaient des chemins sinueux, des écritures sur parchemin, des versets sacrés sur sa peau. Le cœur battant, je regardais son visage tel que je ne l'avais jamais vu et j'ai pleuré comme un enfant, des sanglots qui rentraient dans la commissure de mes lèvres et que je balayais d'un geste de la main. De toutes parts, les voix surgirent, récitant des suppliques à Dieu, des femmes arrosaient le sol du sanctuaire d'eau de rose, d'autres baisaient les dalles glacées. Seul Parvis, resté dans l'ombre d'un contrefort, ne s'était pas mêlé à l'ivresse générale, paroles magiques, formules salvatrices, les gens criaient au miracle sans jamais interrompre cette musique céleste. Le long manteau de Hossein se plia au contact du sol. Il posa l'instrument à terre, et embrassa le vide de sa caisse de résonance, l'écho de ce baiser résonna dans tout le sanctuaire. L'assemblée, restée muette un temps, se dispersa et porta le corps de Hossein qui étendit ses bras en croix. Mon frère souriait, la béatitude se lisait sur son visage comme si l'amour de la foule le conso- lait de sa cécité. J'ai suivi le cortège, j'appelais mon frère pour qu'il tourne le visage vers moi, mais il ne m'a pas entendu. Des hommes l'ont lavé, parfumé, habillé d'une tunique en lin et d'un manteau en feutre. Son turban illuminait son visage. Mon frère avait tout d'un coup l'air vieux, il tapait les épaules en signe de reconnaissance et hochait la tête de haut en bas pour manifester son enthousiasme. Parvis s'avança vers lui, mon frère discerna ses pas lents et menaçants. À la surprise générale, Parvis s'agenouilla et embrassa la main de Hossein qui regardait le ciel dans son immensité. Les deux griffes incurvées de ses tempes souriaient au soleil, personne ce jour-là n'aurait pu scruter le soleil comme il le faisait. En vérité, Hossein était le seul à pouvoir soutenir le regard de Dieu. Hossein devint une figure sainte d'Ardabil, le sang de ses ancêtres coulait dans sa chair, détourné de ses yeux comme le vent qui se déporte au-dessus du sanctuaire.

Hossein, mon frère, s'était accommodé du târ de Mohsen, les effets puissants de sa belle voix captivaient les enfants du village, leurs bouches ouvertes n'émettaient aucun son. Passages de strophe en strophe avec la même rime tout du long, Hossein pinçait des cordes à vide, méditatif. L'instrument semblait fait sur mesure pour lui, il avait serré les chevilles, palpé les ligatures et placé ses mains. On aurait dit qu'il caressait la main de Dieu. Assis à proximité de mon frère, j'écoutais les yeux fermés ses frappes légères, son tempo modéré et ses consonnes nues. Mes doigts tapaient le rythme, *tana, tan, tanam,* et *tananan* et la frappe la plus courte, *ta*, le timbre de sa voix accompagnait le flux de mon sang, cheminement liquide qu'il me semblait lire à travers l'obscurité. Quand j'ai ouvert les yeux, la magie s'est arrêtée. Hossein a joué une journée entière dans l'intimité d'une pièce, les habitants allaient et venaient, s'interrompaient un instant, pensifs, avant de reprendre le travail de la journée. La paix était revenue à Ardabil, l'air glacé se radoucit et le ruisseau qui coulait au milieu de la ville devint limpide. Les eaux souillées se retirèrent et la puanteur des ruelles fut emportée par une pluie torrentielle qui dura plusieurs jours. Hossein provoquait sans le savoir un déluge sur cette ancienne forteresse accrochée aux contreforts de la montagne. Ses accords balayaient le froid mordant et la brume qui formaient des cercles concentriques sur la ville. Les briques bleues vernissées du sanctuaire retrouvèrent leur éclat. La note finale prolongée fit revenir le soleil à l'aplomb du village. La dernière vibration teinta les nues d'accents colorés. Les yeux de Hossein voilés d'une onde tiède fixaient l'horizon comme s'il avait retrouvé ses origines, une ligne suspendue entre ciel et terre. Je me suis accroupi près de lui, j'ai posé le târ de Mohsen ventre contre terre, mes mains prises de fourmillement au contact du bois. Hossein but une gorgée de thé brûlant de ses lèvres devenues molles et émit un soupir quand le liquide chaud traversa sa poitrine. L'instrument semblait agité de pulsations étranges, ma main restait impuissante face à ses soubresauts, Hossein faufila ses doigts entre les cordes tendues et les immobilisa. Il disait que sa caisse de résonance enfermait l'âme de son ancêtre, une âme lourde qui errait toujours parmi les vivants. Il avait perdu la vue mais accompli son destin. Convaincu qu'une force irrésistible l'attirait dans le sanctuaire, il me raconta son dégoût et sa répulsion pour le târ de Barbe blanche. Le târ mécréant de Barbe blanche face à celui, vertueux, de Mohsen. Il me rappela ce jour où nous avions brûlé les cordes, les boucles calcinées l'avaient soulagé d'un grand poids. Il voulait détruire ces cinq esclaves qui jouissaient d'un même jet et toutes ensembles, ces maîtresses de métal capables de faire entendre leur plaisir sous les doigts agiles de leur maître. Les voir se détacher de leur support l'avait empli de frissons, ce feu avait réchauffé son cœur. Des étincelles avaient brûlé ses mains comme si l'instrument se vengeait. Mais Hossein avait trouvé le târ de Mohsen à son image, le même sang les irriguait l'un et l'autre, le sang de ses ancêtres.

J'ai marché dans la ville, traversé le marché regorgeant de marchandises, ballots de cordes, de laine, peaux tannées et tas de bouses sèches servant de combustible. La place centrale d'Ardabil était remplie d'une foule grouillante et besogneuse. Les garçons envoyaient des cailloux dans le grand pigeonnier, les filles les regardaient faire, se chuchotant des secrets à l'oreille. J'ai marché à l'ombre des venelles qui filtraient la lumière, drapiers et marchands de tapis se côtoyaient dans un dédale de passage voûtés et de timches*. Les couteliers et les cordonniers hurlaient. Le bulbe du sanctuaire visible dans le ciel engloutit dans son élan vertical les clameurs du bazar. Je cherchais Parvis, mais il avait disparu. Un homme m'indiqua la direction du chaykhaneh**, certain que je le trouverais là à toute heure de la journée. J'ai contourné

---

* Salles surmontées d'une coupole.
** Maison de thé.

la forteresse, la porte grinça sous mes doigts, un vieillard déclamait des poèmes de Hafez dans une pièce aux murs recouverts d'armes anciennes et de photographies jaunies. Cette taverne accueillait des fumeurs de qalyan* qui, alignés de part et d'autre de la salle, me regardaient d'un œil inquisiteur à travers les effluves de fumée. J'ai trouvé Parvis dans la salle du fond, il me fit signe de m'asseoir et me proposa du thé chaud. Il me montra au mur le portrait de Mohsen, paupières closes sur son instrument qu'il tenait appuyé à l'épaule. La ressemblance était frappante entre lui et mon frère, ses doigts posés sur les ligatures du manche me rappelaient les phalanges fuselées de Hossein. La photographie semblait s'animer, les yeux clos, s'entrouvrir, et les cordes, se mettre en mouvement sous la pression des doigts. J'ai détourné mon regard pour ne plus rien entendre, mains plaquées sur mes oreilles. Les notes de Mohsen s'immisçaient en moi, un rythme persistant que je ne parvins pas à chasser. Parvis mit sa main sur la mienne et la photographie retrouva son inertie. Parvis me raconta son enfance, inhalant la fumée comme pour reprendre son souffle. Mohsen était

_____

* Pipe à eau.

revenu chez lui après avoir fini son apprentissage auprès du grand maître Aqâ Hossein Qoli.
Il quitta Orumiyeh sans regarder derrière lui,
comme pour fuir le péché. Son oreille gauche
sifflait, il disait que le serpent du malheur, celui
du diable, sifflait si fort qu'il lui fallait retrouver
sa ville natale. Dès qu'il fut conduit dans le
sanctuaire d'Ardabil, le sifflement disparut. Il ne
regretta pas Orumiyeh, sa foule grouillante qui lui
faisait perdre sa trajectoire et ce joueur de târ qui
s'égarait dans l'opium. Mohsen épousa la fille du
céramiste d'Ardabil, qui lui donna un fils. Parvis
n'avait que six ans quand son père fut retrouvé
assassiné dans le mausolée du patriarche, mais il
n'oublia jamais son corps sans vie, son instrument
gisant près de lui comme un autre cadavre. Parvis
avait essayé de faire parler l'instrument, seul
témoin du drame, mais le bois s'était rétracté sans
rien livrer au petit garçon. Le târ fut rangé dans
un écrin. Parvis l'ouvrait chaque année à la même
date, délaçait les cordes avec délicatesse. Le târ de
Mohsen, disait-il, reflétait pénombres, éclaircies
et autres acrobaties de lumière qui en modifiaient
l'aspect. L'enfant devenu homme posait chaque
année ses lèvres sur le bois, embrassait la cellule
vide et exiguë de sa caisse de résonance. À l'ado-

lescence, il délivra le târ de son écrin et essaya d'en jouer, mais l'instrument se déroba sous ses doigts. Il pressa l'instrument contre sa poitrine. Certain que le târ reconnaîtrait les pulsations cardiaques de l'héritier de Mohsen, il serra le bois contre sa chair, souffla sur chacune des cordes et posa son front sur les chevilles. Il ne parvint pas à réveiller l'instrument, surface inanimée et inexpressive. Parvis chuchota des mots dans la caisse, caressa les bordures avec ses doigts et chanta les poèmes d'amour que son père lui avait appris. Mais rien, Parvis se découragea et rangea le târ dans sa boîte. Il lui semblait déposer un corps sans vie dans sa sépulture. Les règles étaient immuables depuis des générations, l'aîné d'un joueur de târ est le seul à pouvoir sortir l'instrument du deuil. Un târ, paraît-il, ne se trompe jamais, les cordes savent identifier sans méprise les authentiques successeurs. Parvis, après mille tentatives infructueuses, n'essaya plus, il attendait de pied ferme celui qui prétendrait être le fils aîné de Mohsen. Il passa des années à épier les allées et venues de la forêt voisine : point de visiteur à l'exception de nomades cherchant une plaine hospitalière pour accueillir leur troupeau. Jusqu'à cette nuit de pleine lune où il entendit le bruissement de nos pas sur les feuilles mortes. Hossein portait le târ de Barbe blanche sur son dos, le manche de l'instrument dépassait du sac et cognait sa nuque à intervalles réguliers. Parvis aspira la fumée de sa pipe et interrompit son récit. Je connaissais la suite, il n'avait nul besoin de me la rappeler.

Pourquoi rester à Ardabil ? Mon frère, Hossein, avait trouvé la ville de ses ancêtres, mais moi, j'y étais un étranger. J'ai cherché le târ de Barbe blanche, décidé à regagner Orumiyeh dans la nuit. Notre mère ne pouvait demeurer seule plus longtemps. Ma main droite au contact de l'instrument fut prise de fourmillement. Tenir le manche me dégoûtait, n'est-ce pas ce même manche qui avait servi d'arme dans les mains de mon père ? Ne dit-on pas que l'âme du meurtrier loge dans ce trou béant voilé de cordes ? Je voulais tuer son double, brûler l'objet qui le maintenait en vie. J'avais l'envie incontrôlable de projeter le târ pour qu'il devienne vierge à nouveau, se vide des notes accumulées, des accords dictés avec autorité à toute heure de la journée. Évacuer les vapeurs d'opium et tout ce que mon père lui avait infligé pendant un demi-siècle. Purger sa mémoire, effacer la tyrannie du père. Une pulsion ravageuse qui reviendrait à tuer mon père et à m'attirer ses foudres. Je me suis assis sur une fontaine désaffectée, j'ai posé le târ dans le réservoir sec et j'ai allumé le feu, une simple allumette jetée dans la caisse de résonance qui fit fondre les cordes tendues du chevalet. J'ai mis mon avant-bras en travers de mon visage pour me protéger les yeux, les flammes m'assaillaient, aidées par le souffle du vent. Je me laissai engloutir, suffocant et régurgitant la fumée comme s'il s'agissait de mon propre bûcher. Les cris de Barbe blanche, ses hurlements, ne résonnaient que dans mes oreilles, un sifflement pareil à celui du diable, ses yeux en forme d'étincelles ainsi que sa bouche noire comme les ténèbres se confondaient avec le brasier. Il ne demeurait qu'une carcasse noircie au centre de la fontaine, j'ai pulvérisé les restes à l'aide d'un bâton. Je les ai abreuvé d'une eau fraîche qui asphyxia les dernières braises. Barbe blanche avait disparu pour toujours. Point de târ à accrocher au chambranle, plus de notes émises par un père absent, plus de répétitions en boucle excitant les volatiles du pigeonnier voisin. Hossein avait hérité l'instrument de son véritable père et assurait l'héritage de deux familles. J'ai laissé mon frère à Ardabil. Sa barbe était grise, taillée en deux pointes, et ses yeux, deux points d'eau inertes et bleus comme le ciel. Il épousa une jeune femme si belle qu'on regretta qu'il ne puisse voir sa beauté, mais en vérité il la voyait mieux que quiconque. Il eut cinq enfants, qui emplirent d'éclats de rire le sanctuaire de la ville. Moi, j'ai retrouvé ma mère Forough qui m'attendait sur le chemin de la maison bordé de platanes. Elle m'a serré dans ses bras, a embrassé mon front et s'est occupée de moi. Le chambranle de la porte était vide, la maison semblait légère sans l'instrument de Barbe blanche.

Achevé d'imprimer en mai 2007
par Bussière
à Saint-Amand-Montrond (Cher)

Cet ouvrage a été composé en Granjon par Palimpseste à Paris

35-33-3490-6/01

ISBN 978-2-213-63250-6

Dépôt légal : août 2007.
N° d'édition : 88380. – N° d'impression : 071857/1.

Imprimé en France